MELHORES POEMAS

Luís Delfino

Direção
EDLA VAN STEEN

MELHORES
POEMAS

Luís Delfino

Seleção
LAURO JUNKES

© Lauro Junkes, 1990

3ª Edição, 1998

Diretor Editorial
Jefferson L. Alves

Supervisão gráfica
Nádia Basso

Diagramação
Fernando de B. Gião

Revisão
Edson O. Rodrigues

Dados Internacionais de Catalogação na Publicação (CIP)
(Câmara Brasileira do Livro, SP, Brasil)

Delfino, Luís, 1834-1910
  Os melhores poemas de Luís Delfino / Seleção de Lauro Junkes. – 3ª ed. São Paulo : Global, 1998. – (Os melhores poemas ; 23)

  ISBN 85-260-0250-3

  1. Poesia brasileira 2. Poesia brasileira – Coletâneas I. Junkes, Lauro. II. Título. III. Série.

93-3036   CDD–869.9108

Índices para catálogo sistemático:

1. Coletâneas : Poesia : Literatura brasileira 869.9108
2. Poesia : Coletâneas : Literatura brasileira 869.9108

Direitos Reservados

Global Editora e Distribuidora Ltda.
Rua Pirapitingüi, 111 – Liberdade
CEP 01508-020 – São Paulo – SP
Caixa Postal 45329 – CEP 04010-970
Tel.: (011) 277-7999 – Fax: (011) 277-8141
E.mail: global@dialdata.com.br

Colabore com a produção científica e cultural.
Proibida a reprodução total ou parcial desta obra
sem a autorização do editor.

Nº de Catálogo: **1570**

LAURO JUNKES

Professor Adjunto da Universidade Federal de Santa Catarina e Membro da Academia Catarinense de Letras, é licenciado em Letras e em Direito, bacharel em Filosofia, com Mestrado em Literatura Brasileira e está cursando Doutorado em Teoria da Literatura pela PUC de Porto Alegre. Há anos tem-se especializado em pesquisa e leitura crítica de escritores catarinenses. Além de artigos semanais na imprensa, publicou *Presença da Poesia em Santa Catarina* (visão crítico-panorânica e antologia), *Aníbal Nunes Pires e o Grupo Sul*, *A Canção das Gaivotas* (seleção de contos de Virgílio Várzea, precedida de estudo crítico), *O Mito e o Rito (uma leitura de autores catarinenses)* e *A Literatura de Santa Catarina (Síntese informativa)*.

Na abordagem da obra poética de Luís Delfino, quase que necessariamente temos que dividi-la em dois grandes conjuntos: o vastíssimo grupo de sonetos, de um lado, e os poemas longos, de outro. No manejo do soneto, o poeta parece ter alcançado facilidade tamanha que, em poucos minutos e em qualquer lugar, era capaz de compor quatorze versos decassílabos perfeitos. Aliás, dentro do código parnasiano, seu soneto perfilava-se de acordo com o padrão clássico, preferentemente em decassílabos, com impecável distribuição da rima. Entretanto, arrogou-se a liberdade de variar sua estrutura. Assim, além do esquema fundamental de construir o soneto, compondo-o de dois quartetos, seguidos de dois tercetos, Luís Delfino inovou estruturas, quer invertendo a ordem, fazendo preceder os dois tercetos, ou então intercalando-os. Há, pois nele, três estruturas sonetísticas: dois quartetos completados por dois tercetos; dois tercetos acompanhados de dois quartetos; um quarteto, seguido por dois tercetos e completado por outro quarteto. Consta que de sua lavra incansável e inesgotável tenham nascido cerca de três mil sonetos, dos quais apenas estão publicados pouco mais de mil, que figuram nos volumes: *Algas e musgos*, *Íntimas e Aspásias*, *Rosas Negras*, *Arcos do Triunfo* e três volumes de *Imortalidades* (*Livro de Helena*).

Os poemas outros, que não seguem a estrutura do soneto, geralmente são longos, embora possam variar na extensão entre 20 e 2.120 versos, como é o caso de "Inania verba". Se o caráter lírico é apanágio dos sonetos, este também pode figurar nos outros poemas. Entretanto, grande parte desses últimos vem marcada pelo caráter épico e cívico, enquadrando-se na fase condoreira de Luís Delfino. Nos poemas longos, por vezes cansativamente descritivos, torna-se manifesta a prolixidade do poeta, em sua habilidade de versejador. A imaginação inesgotável faz o poeta enveredar extensamente pelo caráter descritivo, incorrendo em exageros próprios da emotividade romântica ou da superficialidade exterior da postura parnasiana. Digressões históricas diluem por vezes a atenção do leitor e um sopro mitológico perpassa seus poemas.

Por outro lado, elementos da formação clássica e humanista do escritor emergem com assiduidade dos seus poemas. Referências à literatura clássica greco-latina e quinhentista percorrem toda a sua criação poética. Além de inúmeros títulos latinos de poemas, há constantes epígrafes ou alusões a Homero, aos mestres latinos Virgílio, Horácio e Ovídio, aos renascentistas italianos Dante e Petrarca, bem como a Shakespeare. Este último constitui quase que uma obsessão ou fixação do vate catarinense. A presença de elementos shakespeareanos ou a alusão a personagens do dramaturgo inglês, sobretudo a ereção de Ofélia a símbolo da mulher e de amor são constantes em sua poesia. Na parnasiana busca pictórica da beleza clássica, os pintores renascentistas e acadêmicos igualmente merecem reiterada lembrança: Rubens, Ticiano, Sanzio, Tintoreto, Botticeli, Urbino, Holbein ou os nossos Víctor Meireles e Pedro Américo — como que buscando um paralelo entre a beleza plástica por eles criada e os quadros de palavras delineados pelo poeta.

Os poemas longos de Luís Delfino estão reunidos nos livros: *Poemas, Poesias Líricas, A Angústia do Infinito, Atlante Esmagado, Esboço de uma Epopéia Americana, Posse Absoluta* e *Cristo e a Adúltera*.

Três grandes linhas temáticas perpassam a criação poética do cantor de *Imortalidades*: a poesia mais social, de caráter cívico-patriótico, de tonalidade fortemente condoreira; a poesia filosófica, envolta em nebulosas dúvidas, ansiedades e angústias metafísicas; e o lirismo amoroso, desdobrando formas várias de amor e faces diversas da mulher, embora revestindo-se de fundamental e permanente caráter platônico.

Embora Luís Delfino tenha sido acusado de haver incorporado pouca função social à sua poesia, tal restrição ajusta-se melhor à sua produção sonetística, que se apóia quase incondicionalmente na mulher idealizada e no amor platônico. Raríssimos são os sonetos de abrangência social. Pelo menos dois volumes de poemas longos, no entanto — *Poemas* e *A Angústia do Infinito* — incluem uma série de textos de linha cívicopatriótica, nos quais é manifesto o caráter social. Assumindo decisivo posicionamento abolicionista, Luís Delfino adiantou-se mesmo a Castro Alves, com seu canto de lamento e glorificação da mulher escrava, em "A filha d'África", datado de 1862. O protesto vigoroso à exploração do escravo e o canto da abolição, valorizando o negro e sua condição humana, retornam em vários poemas, como "À Nação", "Às Armas", "Fiat Libertas", o soneto "A preta da cabana" ou "O Pai João", saudosa lembrança de "um pretinho velho o bom escravo", que passou a vida fazendo o bem, mas sem deixar rasto.

Exaltado patriotismo embasa vários poemas, principalmente os hinos de glorificação à liberdade do "Brasil livre", trazido pela República, ou ao "Grande mártir", Tiradentes: "Aprendamos com ele o ódio à tirania". O caráter épico e cívico marcam todo o livro *Poemas*. São textos em estilo grandiloqüente, centrados na celebração da heroicidade e do patriotismo, bem como na defesa irrestrita do ideal de liberdade contra qualquer tirania. Na intensa vibração do sentimento cívico, chega a ser obsessionante o tom de vigorosa revolta contra a tirania e a entusiástica apologia da liberdade. Em "Solemnia verba", um dos seus mais celebrados poemas, o poeta eleva seu grito de revolta contra a infâmia que destruiu a Espanha e conclama heroicamente à luta, ao reerguimento, à libertação gloriosa. Toda essa fase social do poeta vem marcada pelo tom condoreiro bem hugoano. A linguagem candente constrói-se sobre metáforas solenes e grandiloqüentes, nela vibrando o sentimento inflamado e o arroubo de idéias do poeta. Nos versos altamente épicos de "Eterna revolta" vibra o mesmo condoreirismo da poesia social de Castro Alves, ambos na esteira de Victor Hugo: "É com sangue que um povo a liberdade traça" ou "Maldita a raça vil, seja qual for que oprime", para concluir o poema em alta vibração:

"Funde-se a liberdade enfim sobre os destroços
Do passado que rui; vingue o direito novo,
E se, para triunfar, pede o sangue de um povo,
Demos à Liberdade o sangue, a carne, os ossos".

Esse Luís Delfino épico, cívico e condoreiro pouco é conhecido e, no seu arrebatamento, não parece ser o mesmo da lírica sensual e platônica dos seus sonetos.

Bastante freqüente na poesia de Luís Delfino é a tendência reflexiva, o caráter filosófico, externando as inquietações, vacilações, incertezas, dúvidas e ansiedades do poeta em questões metafísicas. A maior parte dos poemas de *Esboço de uma Epopéia Americana* está impregnada de tais perplexidades, desde a "Simples interrogação" até a infindável verborragia de "Inania verba ". Nesse poema, a busca incansável pelo universo todo para encontrar a "planta que cura todos os males" representa, sem dúvida, metáfora polivalente ou extensa alegoria que se refere à inquietação metafísica, à procura de um sentido satisfatório para a vida, uma vez que emerge constante o problema de Deus, cercado de dúvidas em meio à matéria, à sensualidade e à mitologia.

Também nas extensas 404 estrofes do poema "Ziguezagues", de *Cristo e a Adúltera*, transparecem obsessivamente as mesmas perplexidades filosófico-metafísicas. Indaga-se o poeta angustiadamente sobre o problema de Deus: como pode ser Ele o criador? Criador deste mundo mau? Criador da fera humana e da dor? Por que não fez Ele os homens felizes em vez de desgraçados? E questiona-se: "há quem Deus possa entender?" Como entendê-lo racionalmente, se em meio a tanta dor e miséria "este Deus fica mudo?" Desconcertado, clama: "Pai, onde está teu amor?" A cosmovisão decorrente vem marcada pelo pessimismo, pela deprimência e pela desilusão: "com toda sua grandeza / é o homem tão infeliz". Aborrecem-lhe os governos, as tiranias, as guerras, a cobiça e, acima de toda essa grandeza vã, situa ele o artista e o pensador. Entretanto, se predomina o tom desilusório – "Homem, conta só contigo... faz o teu céu... não contes com ninguém..." – o poeta, na sua natural bondade e no seu espírito conciliador, acaba por dar sua receita a Deus:

"E o que Deus de bom faria
Era não fazer a dor
E em tudo pôr a alegria
E em tudo espalhar o amor".

Aliás, essa temática controversa da conciliação do Deus-amor com a presença do mal e do sofrimento no mundo tornou-se central em vários filósofos e escritores europeus do nosso século, destacadamente na revolta de Albert Camus.

Nos sonetos, essa angústia metafísica retorna com certa freqüência. Um sopro de profunda descrença e um ceticismo perante a religião e a metafísica acompanham a desilusão existencial do poeta. "Nuvens e raios", última seção do livro *Algas e Musgos*, é constituída por poemas marcadamente filosóficos, em que tornam a aflorar as preocupações existenciais, a confusa visão interior, os ímpetos de descrença, a incapacidade de conciliar o sofrimento humano com um Deus onipotente, o desespero e até mesmo o desafio lançado a Deus. Também em *Rosas Negras* o pessimismo é freqüente, inclusive em relação ao amor, quando esse se torna altivo e traidor. E o final do livro, sugestivamente intitulado "Sombras e relâmpagos", volta-se para temas religiosos e metafísicos, externando as dúvidas existenciais, os mistérios da vida e as hipóteses sobre Deus.

Ainda nos três volumes de *Imortalidades*, embora o amor e a mulher constituam a tônica essencial, infiltram-se com certa constância sonetos de ordem filosófica, envolvendo as mesmas incertezas: qual o sentido da vida? como será o destino do homem após a morte? quais as relações entre Deus, o homem e o mundo? como aceitar a existência de Deus onipotente e amoroso, se no mundo e entre os homens reinam o sofrimento, a ganância, a dor, a injustiça? A concepção teológica e metafísica pouco sólida e consistente do poeta denuncia-se na reescritura da "Lenda do Éden", no terceiro volume de *Imortalidades*, quando retoma as páginas iniciais do *Gênesis*. Na interpretação do episódio bíblico todo, Deus resulta num ser caprichoso, enclausurado, "só, incógnito e tristonho" nas alturas, vulnerável pela ação de suas criaturas (teme "deixar de ser Deus") e que acaba sendo derrotado e até mesmo desprezado pelos primeiros homens. Adão, quando descobriu os encantos da mulher e a infinita compensação do amor, não mais os trocaria pela volta ao Paraíso. Portanto, o homem criou algo melhor do que Deus, e contra a vontade de Deus: o amor!

E entramos no grande tema da poética delfiniana: a mulher e o amor. Por certo dois terços, no mínimo, da sua poesia centralizam-se nessa temática. Foi ele um verdadeiro obsessionado pelo mito da beleza, da sensualidade, da idealizada companhia feminina, cantando o amor com toda a sua força e com todas as suas formas de atração, menos a da direta e explícita carnalidade física. Embora mulher e amor estejam intimamente relacionados nessa poética, convém distingui-los para efeito de maior explicitação.

A concepção fundamental da mulher, na poesia de Luís Delfino, é aquela oriunda do Romantismo: a mulher idealizada, sublime e sublimada, santa, perfeita, divina, rainha e anjo, símbolo da beleza e da bondade, virgem pura e inocente. Enfim, a mulher é a companheira imprescindível e ideal. E o que o poeta busca junto a ela é essencialmente essa companhia. A mulher é enfocada quase que exclusivamente nessa relação de intimidade, nesse convívio meigo e sensual, nesse lirismo a dois – o poeta dirigindo-se ou referindo-se a ela nessa esfera restrita

No livro *Posse Absoluta*, por exemplo, essa mulher ideal predomina. O poema narrativo "Fantasia sobre alguma coisa" focaliza o poeta arrojado por tempestade marítima numa "ilha encantada" onde apenas "uma mulher, visão, ou gênio, ou anjo / povoa a ilha gentil com seus amores"; mas o esplendor maravilhoso dessa formosa virgem o fascina a tal ponto de fazê-lo morrer de amor ante a incorrespondência dela. O extenso poema "Tentativa de posse" inicia com o ansioso apelo à mulher: " Deixa-me amar-te: é só o que me basta" e em todo o poema de 251 quadras o poeta se arrasta "como escravo", na sua tresloucada "paixão torrencial", cantando em variações infinitas a beleza e a sublimidade idealizadas da mulher amada, sempre inatingível. No poema-título "Posse absoluta", continua o mesmo anseio pela mulher. Embora o poeta inicie declarando: "contigo vivo, durmo, sonho , acordo:/ Estou cheio de ti, mulher divina", e repita sempre: "Tenho-te, és minha" ou "És minha ou viva ou morta" ou "Queiras ou não, ou por vontade ou força,/ agora és minha, eu te possuo, és minha", depreende-se claramente que a mulher continua intocada no seu pedestal angélico e a "posse absoluta" se dá unicamente através da poesia, do verso.

Assim também nos livros de sonetos, o poeta continua a cantar o esplendor da mulher idealizada e divina, sintetizando nela todo o sentido do existente "Sem ti, nem céu nem Deus o espaço encerra". A mulher assume proporções crescentes de "deusa onipotente", de "lirial princesa" nos seus "ares de deusa", revestida do supremo encanto. Principalmente nos volumes *Imortalidades*, Helena é a mulher ideal, a "deusa única"; nela nada há de imperfeito — "Tota es pulchra"; ela é a "deusa em ninho esplendoroso"; ela representa "a criatura dos meus sonhos caros", aquela "cuja imagem luminosa e casta / ver, só, e amar, para viver me basta". Essa Helena-mulher-deusa representa o "modelo sem par de formosura" e é conduzida à apoteose na reescritura da "Lenda do Éden", quando Eva, encarnando a complementação indispensável do homem Adão, assume para esse um valor superior ao da divindade — "Com teu prodígio e amor o Éden não finda", pois, "Eva, és maior que a própria Divindade". Enfim, Helena é o valor supremo:

"És tu, Helena, a deusa, o enleio, o encanto:
É de ti, que, em mim só, todo um céu desce.
A ti meus olhos, como a um céu, levanto..."

A mulher divina merece do poeta constante exaltação. Ela constitui a fonte maior e permanente de inspiração. Essa mulher, sempre buscada, é a responsável pela sede indessedentável do poeta nos versos dramáticos de "Tântalo"; é a obra de arte com a qual "Prometeu" desafiou os deuses, sendo por eles condenado a ser roído pelo abutre do amor; é a montanha inacessível por cuja encosta de penhascos "Sísifo" rola seu trágico sonho de amor, nos poemas vigorosos de *Esboço de uma Epopéia Americana*; como essa mulher sintetiza a "Angústia do Infinito", enfocada no poema-título de outro livro.

Mas essa mulher — deusa e anjo — não raro se reveste de fina sensualidade, desafiando o poeta, a ponto de fazê-lo perder-se no êxtase imaginativo de contemplar as formas perfeitas da nudez feminina no banho "quando n'água o belo corpo molha", "a água soluça, e o enleia, e geme, e espuma". Essa sensualidade atinge requintes de fetichismo quando o poeta, numa seqüência de 23 sonetos de *Íntima e Aspásias*, se ocupa detalhadamente de várias partes do corpo feminino, desde "o cabelo" até a "caverna rubra". E em *Imortalidade-III* ainda é Eva-mulher, no seu amor-sensualidade, que faz a cabeça do Adão-homem, a ponto de este mudar os rumos da História, e o poeta propor toda uma nova interpretação do episódio bíblico. Aprecia muito o poeta a descrição da mulher nua, quando se reveste de todo o seu esplendor, ou a discreta intromissão em sua alcova, para contemplá-la em seu leito. Reveste-se a mulher, assim, de indisfarçável força erótica, transformando-se em chama abrasadora, em objeto de tentação. E já estamos penetrando nas faces mais negativas da figura feminina. A mulher, na lírica delfiniana, revela-se carregada de ambigüidade, a ponto de o poeta marcá-la explicitamente, em *Atlante Esmagado*, com o signo da contradição:

"Eu tenho em mim o inferno e o paraíso:
um é o teu tédio, o outro o teu sorriso".

Se a mulher merece a adoração masculina, anjo e deusa que é, arroga-se ela também superioridade e orgulho, que a tornam opressora do homem, seu admirador. Confiada em sua beleza, segura do seu fascinante poder atrativo, passa a mulher a assumir ares superiores, a eclipsar-se em seu orgulho e a transformar-se num ser inatingível e dominador. E o poeta vota-lhe então seu "ódio estéril", quando vê que ela "gosta de ver a multidão rendida" e ter "muita cabeça aos seus pés caída". A própria Helena, o anjo de *Imortalidades*, encerra essa ambivalência: "outras vezes erguendo a cabeça imponente / o olhar fulvo brandindo, e a voz austera e rouca, / do anjo que caiu tens o orgulho insensato".

Os sonetos da segunda parte de *Íntimas e Aspásias* focalizam essa face da mulher, que preserva o "encanto de sereia", mas, no seu orgulho superior, atrai e deprava. Ela é a serpente que enlaça e sufoca para a morte; como aranha vil, "ela envolve nas malhas". Mulher falsa, prostituída, pérfida e... "formosa... Ela era o anjo do cinismo". No seu ofício tão antigo como a humanidade, a mulher aqui se degrada e deprava o homem. Vários poemas de *Atlante Esmagado* retratam o mesmo ar superior e altivo da mulher, insinuado nos próprios títulos: "Triunfadora", "A domadora de feras" ou "Patas de tigre".

Essa face escura e negativa da mulher atinge seu ponto máximo quando o poeta a retrata como indecifrável, como esfinge, como monstro. A mulher passa a representar o mistério, a beleza ilusória, o céu e o inferno, a febre que faz arder. Alguns versos do poema-prólogo de *Imortalidades* — "A Helena" — bem sintetizam essa paradoxalidade da mulher que desorienta totalmente os sentimentos do poeta:

"Monstro, esfinge, colosso informe enfim que odeio
E que amo, e cujo casto e monstruoso seio
Tanto me faz querer como fugir, e cujo
Atrativo é maior, quanto mais dele fujo"

No famoso poema "As três irmãs", igualmente a mulher assume essa face negativa. Descrevendo três tipos de seres femininos (filha, irmã e mulher), às quais correspondem três formas de amor, refere-se o poeta à teceira como sendo "a mulher que eu amo", aquela "que me enleia e fascina". Mas, feita essa primeira abordagem, na segunda parte, inesperadamente, essa mulher recebe outros qualificativos: "A terceira é a mulher, anjo, monstro, esfinge, / Encanto, sedução". Não logra, pois, o poeta superar a imagem negativa da mulher. Por mais que ela seja deusa e anjo ideal, reserva sempre surpresas, sensualidade tentadora, orgulho dominador, inacessibilidade, mistérios indecifráveis, transformando-se mesmo em esfinge e monstro.

Os três volumes de *Imortalidades* inscrevem-se sob a epígrafe de Shakespeare na folha de rosto: "Love is my sin..." Realmente, o amor foi o grande pecado, a grande paixão, o móvel irremovível da poesia lírica do poeta-médico. A maioria absoluta de seus sonetos centraliza-se na temática amorosa. Entretanto, não são poucos os poemas longos que também enfocam o mesmo tema. *Poesias Líricas*, por exemplo, são poemas predominantemente românticos, nos quais o subjetivismo, o exagero e a sentimentalidade orientam a expressão lírica do eu a extravasar-se. O êxtase de amor, o arrebatamento amoroso e o envolvimento do amor em sonho são traços românticos que embasam a maior parte desses poemas, como "História de amor", "Não rasgues teu nome", "A flor do vale", "A lâmpada eterna", "Cismando", "Aquela tarde" e outros. Confissões apaixonadas e exaltação do amor constituem a tônica fundamental.

Mas é nos sonetos que essa temática sobressai avantajadoramente. E formas diversas do amor emergem dessa expressão poética. De passagem e ocasionalmente, o poeta canta o amor materno e o amor fraternal. Sua obsessão, porém, volta-se para o sentimento amoroso, para com a mulher, companheira buscada incansavelmente.

Esse amor-sentimento dirigido à mulher pode revestir-se das tonalidades mais variadas: ora é ingênuo e embriagador, arrebatando o poeta, que se entrega totalmente ao seu poder atrativo; ora dilui-se o amor no sonho absoluto, na irrealidade alienante; ora o amor se reveste intensamente de elementos cósmicos e telúricos, numa vivência abrangente do êxtase idealizado; outras vezes apresenta-se ele desiludido, frustrado, na irrealização de quem não encontrou correspondência; vezes há em que o amor se torna fetichista, fixando-se em lugares ou objetos de uso ou em partes do corpo da amada; com muita freqüência o amor se embebe de sensualidade, transpirando erotismo, no lânguido comprazer-se com a nudez feminina; por vezes o amor tende sensivelmente para aspectos mórbidos e mesmo macabros, na atração pela mulher morta; raramente a vivência amorosa implica envolvimento físico e carnal concreto; na sua predominância absoluta, o amor permanece ao nível dos sentimentos abstratos, na pura atmosfera de intimidade, implicando sempre aquele distanciamento próprio do amor platônico.

Sem com isso diminuir os demais livros, certo é que a expressão do amor está mais concentrada em *Íntimas e Aspásias* e nos três volumes de *Imortalidades*.

O amor na intimidade, no estreito círculo a dois, ou mesmo na atmosfera estritamente pessoal do poeta, sendo a mulher apenas aspiração idealizada de sonho, constitui a temática fundamental de *Íntimas e Aspásias*. Na primeira parte desse livro, quer vista na sua sensualidade "nua, bela e deslumbrante", quer assumida como "alma gentil e luminosa", a mulher é sempre tão superior, situa-se num plano tão elevado, que ao poeta não é dada outra forma de amor, a não ser aquele distanciado — ou fetichista, ou platônico, ou de pura contemplação visual ("voyeurismo"), ou ainda o amor pela morta, atingindo as raias da morbidez na necrofilia.

O distanciamento da mulher inatingível evidencia-se desde logo pela recorrência constante à imagística sideral. Duas palavras sintetizam esse aspecto: a mulher é "céu e luz". A mulher é "céu", quer como lugar de felicidade plena, quer como indicativo dos elementos do firmamento. A mulher torna-se a "luz" que ilumina e a fonte de vida do poeta. Nas metáforas "Céu" e "Luz", relacionadas com a mulher, cria-se distinção de planos e distanciamento acentuado entre ela e o poeta amante.

Por esse distanciamento, a mulher acentua sua superioridade no amor. Atraente e misteriosa, virgem deslumbrante e perigosa fera, sonho luminoso e esfinge desafiadora, a mulher é deusa esplêndida que arrasta o poeta a seus pés. Mesmo vendo-a como "deusa em fúria", o poeta quer ainda estar com ela, "mesmo debaixo dos teus pés pisado". Por isso, o amor reveste-se praticamente sempre de atmosfera platônica. O poeta canta a beleza da mulher, extasia-se diante dela, eleva-a acima de todas as coisas, contentando-se com tais atitudes abstratas. Descreve-a na alcova, no leito, numa atitude de pura contemplação sensual distanciada. Ou então enverada pelo fetichismo: entrega-se o poeta ao prazer inebriador com a simples posse de um objeto dela (um livro) ou com a sensação de estar num lugar onde ela esteve (sala ou móveis), buscando sempre o cheiro deixado por ela, o cheiro do seu corpo. Esse amor não concretizado, não assumido nas suas dimensões reais e carnais entre homem e mulher, manifesta-se também num certo atrativo e numa satisfação contemplativa ante a mulher morta. Descreve-a com amor no seu caixão de "viva-morta". Sente até alegria ao vê-la morta (alegria disfarçada pelo termo

latino "laetitia"). Chega mesmo a declarar que ela é melhor morta ("Transformação"). O amor, sendo tudo para o poeta, assume as mais variadas formas.
Nos sonetos de *Imortalidades*, o amor é permanentemente platônico. A mulher não chega a assumir figura concreta e carnal, e o amor não transpõe a esfera do puro sentimento, sempre num plano harmonioso, idílico, distante. O poeta experimenta a necessidade premente de dirigir-se diretamente à sua Helena, de apelar para ela, de invocá-la. Por isso, a pessoa gramatical predominante é a segunda, sendo inevitáveis os pronomes: tu, te, ti, teu, contigo. A incontida irrupção da afetividade confere aos poemas um arraigado tom intimista. Com Helena, a mulher idealizada, torna-se "o amor infinito". Além dela, nada adquire valor: "Não vale a glória um dia em teu regaço". Com o amor da mulher, "séculos vivo em ti num só momento". Esse amor arrebata com tal força irresistível, que o poeta confessa: "a amar-te, amor, a sorte me condena". E ele também não teme afirmar que "o homem só é forte, e grande, quando/nasceu, viveu, sofreu, morreu amando".

Também esse amor ilimitado e platônico para com Helena se reveste freqüentemente de caráter fetichista. Principalmente o cheiro, esse "cheiro preferido" que dela se exala e permanece nos lugares por onde andou e nos objetos que tocou inebria o poeta. A "traição do cheiro" dela sempre o arrebata:

"Helena, o odor que me enche a vida inteira
Que anda comigo e levo a toda parte
É teu corpo, que em mim palpita e cheira".

O amor platônico do poeta pela sua Helena coloca-se ao nível dos paradigmas sempre de novo aludidos de Dante e Beatriz ou de Petrarca e Laura. Quanto a Beatriz.

"Ela que tinha tanto amor no peito,
Gozar não pôde nunca o amor do eleito".

Recorrendo à mitologia, irmana sempre de novo a beleza de Helena com a de Vênus, a mais cobiçada das deusas. A dramaturgia de Shakespeare forneceu-lhe Ofélia, que se projeta como a metáfora fundamental do amor, identificando-se com Helena; o casal amoroso Romeu e Julieta, símbolo da paixão incondicional; e mesmo a pitada de ciúme de Otelo e Desdêmona.

Em *Imortalidades-III*, Luís Delfino reescreve capítulos iniciais do primeiro livro da Bíblia, o *Gênesis*, para glorificar a mulher e o amor. "O nascimento de Eva" destaca a excepcional presença da mulher no mundo:

"Deus quis mostrar-se excepcional obreiro,
E fez, então, o que houve de mais lindo,
Fez a Mulher, primor, que ele exibindo,
Pôs, mudado em seu eixo, o mundo inteiro".

Ante a beleza de Eva, Adão deslumbrou-se e a sentiu indispensável. O próprio Deus começa a preocupar-se com a perfeição que criou: o amor entre o homem e a mulher. E vem a cobra, com sua sutileza, infiltrando-se junto à mulher, até lograr fazê-la comer do "fruto". Mas, mesmo após a queda, expulsos do Éden, reflete o poeta que ainda lhes resta o amor. Se Adão sente ter perdido muito, ainda tem Eva, o "gozo infinito". E Eva, mesmo sentindo tudo hostil, "junto a si Adão inda tem". Aqui o poeta coloca a valorização máxima da força do amor, pois nesse momento, se Deus tentasse esquecer e apagar a queda desobediente, para fazê-los retornar ao Éden, Adão diria "Não". Não voltaria, pois a mulher para ele é tudo: "com teu prodígio e amor o Éden não finda". E ele, "em frente à catástrofe", afirma: "Eva, és maior que a própria Divindade". É a apoteose da mulher e do amor! Assim, conferindo ao episódio bíblico interpretação divergente da tradicional exegese cristã, pretendeu o poeta glorificar o amor, conferindo-lhe a sublimidade máxima, para torná-lo o atributo feminino capaz de compensar a pior adversidade. Luís Delfino foi realmente um obcecado pelo amor.

Essa síntese pretende retomar os aspectos fundamentais da poesia desse grande expoente das letras vernáculas, tão injustiçado pela crítica e pela história literária nacional. Sua obra poderia merecer verticais estudos monográficos em relação a traços e aspectos como: a imaginação exuberante, criadora de todo um universo pessoal; o sensualismo sem limites, o envolvimento de todos os sentidos, de todas as sensações — tácteis, olfativas, visuais, auditivas — na criação de atmosferas líricas, intimistas, eróticas; a comunhão telúrico-cósmica, com a criação de toda uma imagística sideral, para assim encontrar condições de realizar seu amor e seus desejos; as formas e gradações do amor e as faces da mulher; as inquietações filosóficas e o ceticismo metafísico. São perspectivas abertas. Urgente se torna voltar a ler e a analisar a poesia de Luís Delfino.

Lauro Junkes

POEMAS

À HELENA

Com sombras deste lado e luz do lado oposto,
Este livro reflete a tua alma e o teu rosto;
Vem de ti este livro, e é para ti somente,
Bem que não sei quem és; que às vezes me pareces
O anjo doce do amor, o casto anjo das preces;
Que outras vezes erguendo a cabeça imponente,
O olhar fulvo brandindo, e a voz austera e rouca...
Do arcanjo que caiu tens o orgulho insensato;
Que me pareces boa e me pareces louca;
Estrela, que se mira em límpido regato;
Vulcão, que tem rugido e chamas de cratera;
Céu, onde habita o raio e o sol da primavera;
Abismo, onde a alma cai em sombra, que a devora;
Que tens luz, que eu não sei se é do inferno, ou da aurora,
Se vem dos anjos bons ou dos anjos danados:
Ser superior, que esmaga Anteos desesperados,
Monstro, esfinge, colosso informe enfim que odeio
E que amo, e cujo casto e monstruoso seio
Tanto me faz querer, como fugir, e cujo
Atrativo é maior, quanto mais dele fujo;
Clarão, do qual em torno ando queimando as asas,
Sentindo bem que morro à luz com que me abrasas:
Foi por ti que escrevi este livro, indeciso,
Um pé fora e outro dentro do paraíso.

O CÉU É UM CRIME

Quando me lembro triste e descontente,
Que essas linhas de tua forma pura,
Que esses irradiamentos de brancura,
Que a tua carne cetinosa e quente,

Que isso morre, isso acaba, e tudo mente;
Que não serás um dia a formosura,
Que eu via com prazer e com ternura,
Como serpe a enrolar-me um fogo ardente,

Num frêmito de um gozo indefinido;
O coração em dois por ti partido,
Às carícias de tua voz sublime;

A mão, que toca, e como um lírio afaga...
E que isto tudo se esvaece e apaga...
O céu depois só me parece um crime....

O AMOR

O amor!... Um sonho, um nome, uma quimera,
Uma sombra, um perfume, uma cintila,
Que pendura universos na pupila,
E eterniza numa alma a primavera;

Que faz o ninho, e dá meiguice à fera,
E humaniza o rochedo, e o bronze, e a argila,
Sem o afago do qual Deus se aniquila
Dentro da própria luminosa esfera.

A música dos sóis, o ardor do verme,
O beijo louco da semente inerme,
Vulcão, que o vento arrasta em tênues pós:

Curvas suaves, deslumbrantes seios
De vida e formas variegadas cheios,
É o amor em nós, e o amor fora de nós.

O MONSTRO

O rosicler de aurora peregrina,
Manhã sem nuvens, pálida e serena,
Ar puro, veiga de boninas plena,
E entre elas tu, a mais gentil bonina;

Tu, que és a branca aparição divina,
E essas iguais a ti, querida Helena,
São as que põem um monstro estranho em cena,
Que começa em prazer e em dor termina.

E este é leve, é sutil, é transparente,
Vem, arrasta-se, sobe, e de repente
Entrou em nós, com ele entrando o horror;

E em nós vive, e se nutre dia e dia
Com pedaços de carne e de alegria...
Não conheces o monstro? O monstro é o amor....

O AMOR E A ETERNIDADE

Helena, o amor não é um sol bendito,
Não é o idílio dentro de uma gruta;
É o abismo sem fundo, é a treva abrupta,
Que se abre em longo e doloroso grito;

É andar neste exício em que me agito;
É conhecer a dúvida na luta;
Fala o universo, e temeroso o escuta
O amor, o pobre escravo do infinito.

Não ela a dor a dor de idade em idade;
Quem não ama, e interrompe o pensamento
De um Deus, emenda-o, e dele enfim se evade.

Não é mais folha solta entregue ao vento;
É com amor a vida a eternidade,
É sem amor a vida um só momento...

MEDO

Sabes? Não sei de ti o que penso e o que quero:
Não devo amar-te, eu sei, nem eu procuro amar-te:
E tua imagem vai comigo a toda parte;
Vai, onde eu vou; e vai, onde eu jamais a espero.

Meu semblante entre altivo e tristemente austero
Deve estar, quando enfim preciso, ou devo olhar-te,
Meu profundo segredo eu temo revelar-te:
E junto a ti me esqueço, ou talvez persevero.

Quantas vezes porém me tem já parecido,
Que longas horas eu sob os teus pés me olvido,
Bem como num vulcão, abrasado em desejos!

E ergo-me, e fujo, quando irado e delirante
Vejo, que vão tragar-te a carne palpitante,
Leões rugindo em bando, os meus famintos beijos...

A DEUSA

O seu pescoço esplêndido e robusto
Implantado às espáduas fortemente,
Presta-lhe um ar olímpico e imponente;
De Vênus dá-lhe gesto altivo e augusto;

E sustém-lhe a cabeça bela: é justo,
Porque dos deuses vem; e se presente
No andar, na voz, no riso negligente:
Mete em tudo, que a cerca, estranho susto:

Tão grande e superior ela parece,
Que não é muito a admiração e o espanto:
Segue-se ao espanto o amor; ao amor a prece.

És tu, Helena, a deusa, o enleio, o encanto:
É de ti, que, em mim só, todo um céu desce:
A ti meus olhos, como a um céu, levanto...

MONSTRO

Helena é um monstro, e tem, como a Quimera,
Bico de bronze, e garras lacerantes:
Crêem todos, que ela diz, olhando: — espera.
E a seus pés surge um pó sutil de amantes.

Risos na boca, e ares triunfantes,
Com seu donoso olhar de fome e fera,
Parece dar-lhes toda a primavera,
Que em flor lhe sai dos seios deslumbrantes.

Mede o grau de loucura em cada louco,
Lhes conchegando adrede o corpo todo:
Cada qual a crê sua, e já vencida...

Cio de turba vil, que não lhe importa....
Tem, num gesto, um dragão de guarda à porta;
Num desdém cão-alado ao pé da vida...

O TESTAMENTO

Si algum dia te vir, celeste Helena,
Mais branca do que os teus lençóis de linho,
Como um pássaro morto no caminho,
Morta em antes de vir a tarde amena,

Deixa-me o gozo ao último carinho,
Que podes dar-me sem remorso ou pena,
E, como um'ave, que procura um ninho,
Pôr meu lábio em teu rosto de açucena.

Dize que cedes já ao meu desejo,
Que eu posso à face bela haurir-te um beijo,
O meu primeiro e último sequer...

Eu nunca quis, nem quero inda outra cousa:
Abre-me os braços nesse leito, esposa;
Dá-me o teu seio: espera-me, mulher...

CHEIRO PREFERIDO

Helena, um cheiro tens na carne ardente,
Que não há nos jardins, nem nas florestas;
Nem sai dos vasos, nas noturnas festas,
Onde há mulheres belas em torrente,

Faiscando jóias lúbricas, funestas...
Prende minh'alma delirantemente
Esse odor, que em ti sinto, e ninguém sente
Desprender-se outro igual d'algumas destas.

Só em olhar-te e ver-te o tempo emprego:
Eu te conheço; para o mais sou cego...
Para servir-te, a natureza é pouca:

Inda, para isso, o céu teus gestos toma...
E enquanto eu, como abelha, ando-te à boca,
Haurindo o mel, que dá seu fluido — aroma...

LEITO DE NOIVOS

Ah! quem te vira pálida e sem vida,
Na cama cor-de-rosa amortalhada,
E, como sendo a mesma luz tecida,
A tua trança esplêndida espalhada.

Assim te quero, Helena, desmaiada
Antes do tempo, flor gentil colhida,
Ó minha noiva, ó minha eterna amada,
Alma para minh'alma só nascida.

Teu corpo frio osculo com respeito,
Tens o vestido branco de noivado,
A boca, um lírio, onde os meus beijos deito.

És minha toda enfim: fico ao teu lado:
Contigo dormirei no mesmo leito...
Que sono bom, profundo, e prolongado!...

CRER E NÃO CRER

Contradizer-nos sempre dia a dia,
Hora a hora, talvez instante a instante!
Tem tantas faces o cristal iriante,
Que em cada volta a cor da luz varia.

O universo visões estranhas cria:
É, não é; minha Helena, é ir adiante:
São os séculos degraus da escadaria,
Que vai calcando espírito gigante:

E ele aí fica em dúvida perene!
E nos vaivéns terríveis, que o consomem,
Só tem de certo a dor... a dor infrene.

Somem-se os céus com os deuses que se somem:
Nenhum ditame, que alma enfim serene:
Crer e não crer!... Que verme hediondo é o homem!...

O DESTINO

O rio vem do mar, para o mar corre:
Quem sabe por que nasce e por que morre?
Sabe o sol que ele faz a madrugada?

Quem fez de um grão de areia este universo?
Não podia fazê-lo outro e diverso?
Pode cousa qualquer sair do nada?

Por que nos fez assim com fome e sede,
Selvagem, como a fera da floresta,
E não pôs tudo numa eterna festa?
Quem deu a vida, não daria a rede

Em que se embala o Índio do arvoredo,
Mas que ele arranca ao tronco com trabalho?
Ruge em torno de nós a dor e o medo.
Nada vales, Helena, e eu nada valho?!...

A PRETA NA CABANA

Esta preta que vês junto à cabana,
Velha, gasta, pedindo-te uma esmola,
Teve na terra benfazeja a escola
Do trabalho, do amor, da luta humana.

Deixou a pátria tórrida africana
Pelo Brasil, onde é soberba a flora;
E, no país, em que ela é livre agora,
Viveu escrava e a um tempo soberana.

Misturou o seu sangue ao nosso sangue,
O seu suor, no campo, ao suor da aurora,
Deu força e alento ao nosso corpo langue.

Helena, inda hoje embala-nos nas sestas,
Como ria no lar conosco outrora,
E eram suas também as nossas festas...

O IMPOSSÍVEL

Queres que fale em Deus? — Que contra-senso!...
Que falar pode a pobre criatura?
Há na semente uma árvore futura;
Equilibram-se os sóis no espaço imenso.

Dentro e fora de nós nevoeiro denso:
Sei que a vida é por mim, por ti, que dura;
Há quem o veja e meça-lhe a estatura?
Não o afirmo, nem nego. — Cismo e penso...

Deus não tem atributo algum humano:
Deus é Deus, porque é Deus, Helena amada...
O seu nome em meus lábios não profano.

A nossa inteligência limitada
Não conhece o arquiteto, a obra, o plano;
E o que sabe melhor não sabe nada...

PROBLEMA SEMPRE NOVO

Helena, além da vida, o que há? Que existe?
Em que parte do céu um Deus repousa?
Que deseja? Que quer? — Saber quem ousa?
Não o conheces tu, ó grande antiste...

Dizes que o vês: dizes que já o viste!
Viste e ouviste qualquer uma outra cousa:
E de tudo, que passa sob a lousa,
Conheces bem o quanto a história é triste.

A sombra, a sombra espessa, se aglomera,
Mesmo apesar dos sóis do firmamento,
Sempre a luzirem, que não tem mais era...

Deus tem de tudo um longo esquecimento!
Dos fins deste universo, o que se espera?
Nada descobre em torno o pensamento!?...

ENTRE PARÊNTESES

Passam lêmures desse mundo oculto,
Que anda em torno de nós, que nós não vemos;
Grandes deuses, espíritos supremos,
Vinde mostrar-nos o formoso vulto.

Ai! ao incrédulo duro, ao pobre estulto,
Que quer por vós morrer fazendo extremos,
Desvendai-vos enfim, que nós vivemos
Na dúvida e um terror, que exige indulto.

Aclarai-vos, mistérios superiores:
Tendes a lança contra nós em riste,
Há dor demais, poupai-nos a mais dores;

Dizei-nos, pois, se aí há, se acaso existe
Um céu, de que não somos sabedores,
Que a triste vida torna inda mais triste...

HELENA

Helena, ideal como os da Grécia antiga,
Trabalhados nos mármores de Paros,
Tu que refulges, como estrela amiga,
Do meu prazer entre os instantes raros,

Tu, a quem mão de deuses não ignaros
Por um divino e puro amor me liga,
Que és a criatura dos meus sonhos caros,
A força doce que a viver me obriga,

Tu, cuja imagem luminosa e casta
Ver, só, e amar, para viver me basta,
Tu, que não sabes mesmo inda quem és,

Tu, que o não saberás, mulher, aceita
O manto d'oiro e azul, que no chão deita
Quem calçara, a poder, com sóis teus pés...

DEUS PELA MULHER

Basta, Helena, que em ti Vênus renasça;
Teu nome é sempre Vaga e Movimento;
Teu apelido eternamente — Vento —
Que ciciando osculta tudo, e passa.

Tu, Mulher, hás-de ser a ebúrnea taça,
Cheia de sóis, por onde o pensamento
Bebe a luz, bebe a força, e bebe o alento,
E o divino esplendor, que põe na raça.

Eva imortal, tu és a formosura;
És Mãe; e como mãe és boa, e pura:
Não tens lua aos teus pés, nem sóis tu calças:

Mas por ti vai-se a Deus, e a compreendê-lo,
Tu nos ensinas, mesmo a ver, sem vê-lo...
E essas belas visões jamais são falsas...

QUE SABEMOS?

Só de ilusões, Helena, é que vivemos:
Temos em nosso cérebro guardado
Tudo que nossos pais já têm pensado,
Tudo que de presente inda aprendemos.

Sabemos muito! Então o que sabemos?
Eis a cova: o que existe do outro lado?
Que mundo há num argueiro guardado?
Que quer este universo? O fato aí temos...

O céu 'stá cheio acaso, ou 'stá deserto?
Eu não sei bem se acerto, ou se me iludo!
Na ilusão vivo; na ilusão desperto?

Amontoando estudo sobre estudo,
Sabemos muito, muito, muito, é certo...
Mas que sabemos nós no fim de tudo?!...

DEUSA ÚNICA

A Via Láctea toda se entrelaça
Na brancura do teu divino colo;
E o teu cabelo nos meus dedos passa,
Como se fosse o oiro do Pactolo.

Em grupo as flores erguem-se do solo,
Por ver-te a marcha, o porte, o encanto, a graça,
E um colibri em torno a ti esvoaça,
Enquanto os sonos da lira desenrolo.

Ah! como é bom viver nestas campinas,
Ou nestes bosques, que a adorar-te ensinas!
Fecha-te um quadro, esplêndida rainha:

Eu te festejo, tudo te festeja,
Única deusa de uma só igreja:
Em parte alguma, Helena, és tu tão minha.

O DEUS INTERIOR

Podíamos gozar de tudo, Helena,
Sem nos darmos à irredutível pena,
De entrarmos, cegos! na razão das cousas.

Que queres tu no teu trabalho insano,
Que queres tu também, que não repousas,
Dando voltas ao mundo, irado oceano?

O que tudo saber nos leva, e arrasta,
E não deixa ninguém quieto em seu leito
Dormir profundamente satisfeito,
Dentro da paz da natureza vasta...

Esse desejo enfim que a vida gasta;
É o homem ter sentido Deus no peito
Sem que lhe reste nunca o ultriz direito
De dizer ao mistério: É tempo... Basta!...

O CÉU

Eu que desejo? — Se este céu falasse,
Este céu transparente, e quasi austero
Com seus milhões de sóis? O reverbero
Dessas estrelas dizem-me: — que eu passe.

Queremos mais do que promete a vista;
Queremos mais do que nos mostra o espaço!...
E esse espaço da terra inda o que dista!...

Há mesmo tédio em vê-lo: há já cansaço:
Nossa funda ignorância nos contrista:
Mesmo vivendo sempre aqui, que faço?

Só contemplar a obra divina? — Eu quero
É ver, contemplar Deus, e face a face
Tê-lo ante mim; e quando o interrogasse,
Ouvi-lo... — Mas, em vão, Helena, o espero!...

ESCURIDÃO

A um Deus Ignoto o hino meu entôo?
Não sei se a morte é sono, ou queda, ou vôo...
Quem vela e cuida desta natureza?

Quem tece a luz do sol de cada dia?
Quem linho branco para o lírio fia?
E o dano? não nos vem, como surpresa?

Completa em nós sua vontade: esteja,
Como ele quer, no Deus que o serve, e o habita;
E a sua força única, infinita
Erga, ou destrua a sua grande igreja...

Tanto ele faz, e que ele se não veja!...
Se nós pensamos, ele o que cogita?
Que alvo esse Deus, Helena, ou mostra, ou fita?
É... — Eu sei quem é ele? Eu sei quem seja?...

A COUSA ESPANTOSA

Parar devemos dentro do universo:
Nele o humano saber tem seu limite...
Não há mais nada que a alma exalte, e irrite,
E torne o ser, que pensa, um ser perverso.

Helena, acaso Deus nos é adverso?
Quem pois nos farta o indômito apetite?
O mundo além do túmulo é diverso?
Julga alguém que esse mundo o nosso imite?

E o que é essência, causa, eternidade?
E essa causa sem causa, esse infinito,
Isso que não começa, nem acaba?

Em tudo está presente a Divindade...
Crê: adora... — Isso basta? Oh! sonho! oh! mito!...
Isso, Helena, isso tudo oprime, esmaga!...

CRENÇA E DÚVIDA

Mas isto é uma hipótese sublime:
No fim de tudo a dúvida nos resta!
Há de durar continuamente a festa,
Que nos embala? A crença? Esta sorri-me.

Mas dobra o homem, como a brisa ao vime:
A alma vacila sempre à idéia infesta:
Quando saímos finalmente desta
Existência — a outra vida enfim que exprime?

Somos um elo desta natureza,
Nos fundimos em Deus... Mas há certeza?
Razão, és bola, e como bola és oca!...

À terra, por que então mandados fomos?
Seremos verme? ou somos Deus? — Que somos?
Abismo, fala: para que tens boca?...

A IMORTALIDADE DE HELENA

Deixa o tempo passar; e embora passe
Do corpo teu o mármore divino,
Ficará impoluto: em tua face
Sempre há de haver um brilho peregrino.

Eu ensinei as cousas; e inda ensino
O prazer a sorrir-te, onde te achasse:
Segredei uma prece ao teu destino:
Hás-de ser, como o sol, que morre, e nasce.

Não perderás a tua mocidade;
Rasguei-te funda esfera azul, serena,
Onde abrirás as asas à vontade;

Onde podes ser água, ou ser falena:
Dei-te a beber a Imortalidade
Nos versos meus. — Fui o teu Deus, Helena.

A LENDA DO ÉDEN

Hás-de lembrar-te ainda da tremenda
Queda dos nossos pais, que a história conta:
Helena, sobre os séculos, remonta
Ao livro santo e após do Éden a lenda.

Aqui há muito que se leia e aprenda.
É na aurora da vida que desponta
O amor, que tudo eleva e tudo afronta:
É bom que cada qual o saiba e entenda.

Deixar a luz, para cair na treva,
Deixar tudo o que é belo e grande a troco
De um sonho vão, que ao erro e à dor nos leva!...

Deus dava tudo: e tudo inda era pouco:
Que mais queria Adão? Que mais quis Eva?
Ter tudo e querer mais? — Não é ser louco?!...

ESQUECIMENTO

E Deus vinha descendo a veiga amena,
E Adão sentia logo um novo alento,
Espantado de si, e o esquecimento
Daquela confusão, daquela pena.

Eva irradiantíssima e serena
Respirava do olhar um tal contento,
Que o Éden todo bebia esse momento
De inexcedível gozo em taça plena.

Deus bem sabia o mal que tinha feito:
Quis juntar neles dois um par perfeito,
E o fez em rapto e artístico delírio.

Tinha tudo de grande essa obra imensa:
Mas olvidou-se, pondo-os em presença,
Que os não fizera para o amor do Empíreo.

A SERPE SÓ COM EVA

— Gentil Princesa, se ainda vir eu ouso
Lembrar que tardas em colher o fruto,
É que, enquanto o não tens, eu não repouso,
E com visões aterradoras luto.

Ah! não demores meu supremo gozo:
Sem justas ambições te não reputo:
Sereis, tu só e teu sagrado esposo,
Donos disto: do próprio Deus o escuto.

Serão ordens somente os teus olhares,
E a natureza, em tudo obediente,
Dará vida ao que dentro em ti pensares.

Baixará aos teus pés o céu fulgente,
Anjos e sóis, escravos aos milhares
Virão servir-te, Deusa onipotente!

O AMOR DE DEUS

E Deus mais uma vez tristonho e doce
Chegou-se ao par gentil com passo tardo,
E lhes disse: — Por vós de amor eu ardo,
Como se todo sarça em fogo eu fosse.

Não se esqueceu, Adão, Eva, lembrou-se,
Que vos proibi tocar nesse bastardo
Fruto, que fere e mata, como um dardo?
Lembrar-vos isto, aqui hoje me trouxe.

Nas faces um rubor maior, mais lindo
Eva tinha; no olhar um resoluto
Raio fulvo a animá-lo... — O céu infindo,

Tornou Deus, toda a terra há de ser luto,
E aos vossos pés o mesmo Éden fugindo
Dirá... Comeram do maldito fruto! —

O FRUTO

Eva a Adão: — Olha a serpe, o que tem dito:
No pomo está todo o poder, é certo:
Não quer Deus o segredo descoberto,
E traz no trono o olhar constante fito.

O meu poder com teu poder permuto;
Adão, é já bem pouco o teu trabalho,
É só metade, come, acaba o fruto. —

Quando o pomo não foi mais preso ao galho,
Em cima a noite se vestiu de luto,
E caiu, como lágrimas, o orvalho:

Rompeu da árvore logo agudo grito,
Como o de um Deus, que andasse ali por perto,
E tudo transformou-se num deserto
Árido, feio, lúgubre, infinito...

A SAÍDA DO ÉDEN

Ao caírem os dois, tudo caía:
Belos ainda, vê-los já não ousas:
Havia em tudo as lágrimas das cousas;
Quem não chorava então, também não ria.

Do Éden d'ontem nada mais havia:
Em cardume andam doudas mariposas:
Por ervas mortas só teus olhos pousas:
Tudo é tojal, tudo é melancolia.

Sabem: — fizeram jus à sua ruína:
E vão, perdoando aos anjos, que se excedem,
Ao pô-los fora da mansão divina.

Já não podem querer; já nada pedem.
E Adão beijando-a: — Esposa peregrina,
O amor nos resta; e o amor resgata um Éden. —

NÃO

— Basta-me, ó Eva, o teu olhar ainda,
Para não querer ver nem mesmo a aurora:
Eu te prefiro ao sol, à estrela linda,
Que a curva azul do céu à noite o enflora.

Quis-te lá dentro muito, e mais cá fora:
Eu te possuo: seja a dor bem-vinda:
Com teu prodígio e amor o Éden não finda;
Digam os anjos, que acabou embora.

Se o Pai viesse, e me dissesse: — Esqueço:
Voltemos todos, como no começo:
— Não, lhe diria, estou feliz e rico.

Esta mulher é minha toda inteira;
Preso à sombra de sua cabeleira,
Dela à sombra acabar, eu quero. — Fico. —

DEPOIS DO ÉDEN

A Odisséia de amor, querida Helena,
Triste e alegre contigo compartilho,
Segue, como à canção, segue o estribilho,
Uma mágua tristíssima e serena.

Tu me ouvias deitada sobre o leito
Onde um perfume doce anda e cintila.
Tinhas as mãos cruzadas sobre o peito:

Ouvindo a Lenda, não te vi tranqüila:
Eva nela é tão grande com efeito,
Que de pé não podias tu ouvi-la.

Depois de tanto gozo, e tanta pena,
Tinhas o rosto pálido, sem brilho,
Como a Madona ao enviuvar do filho
Aos pés da cruz, e junto a Madalena.

VÊNUS MARINHA

Quem és tu? — Serás tu o que pareces?
Mármore duro, opaco, e resistente
Mármore vivo, cuja voz tremente
Vem de uns lábios, que sempre imploram preces,

Onde começas tu, onde feneces?
Onde pode a ti mesma achar-te a gente?
Bela esfinge terrível, que mais cresces
Quanto mais desço em ti profundamente.

És uma imagem sob um véu de bruma:
Tu tens os grandes gestos de rainha,
E não sei de tua alma cousa alguma.

Tortura-me esta grande angústia minha;
Deusa, e pombas, e concha, e mar, e espuma...
Nada mais vejo em ti, Vênus marinha...

NUDAQUE VERA

Por quê?... Bem vejo o gosto, o esmero, o tino
Com que no escrínio luxuoso fechas,
Ora a nuvem das rútilas madeixas,
Ora do corpo o mármore divino.

Cinzelo, lavro, junto, ato, combino
Frase e frase, engrinaldo-te de endeixas:
Como és formosa assim!... Mas imagino
Abismos, céus... os céus que ver não deixas.

Oh! nua!... nua é que te quero!... nua...
Igual à rosa, ao lírio, à estrela, à lua,
No brilho astral dos monolitos nus!

Em rico estofo um corpo não escondas,
Onde por linhas ideais, redondas,
Cantam os sóis a Ilíada da luz.

A VALSA

Move-se, treme, anseia, empalidece,
Cai, agoniza; acaba-lhe nos braços:
Resfolga, arqueja, torna, reaparece,
Solda-lhe o seio, a boca, as mãos, os passos...

Gira, volta, circula... Os olhos lassos
Têm langue, mole, voluptuosa prece:
A fronte branca ao colo dele esquece...
Atam-lhe as carnes invisíveis laços...

Na sala, a um vão, inquieto a vejo... e o vejo!
Sofrer?!... não sei... mas toma-me um desejo,
Ao ver um só nos dois, o grupo enleado...

Rojar-me ao chão, à terra de repente,
E nas voltas daquela valsa ardente
Morrer em baixo de seus pés calcado!

NO LEITO

Como estátua de mármore, na cama
Feita de linho, e sobre o nevoeiro
De rendas, em que rola o travesseiro,
Que luar doce o corpo teu derrama.

Azula-o brandamente etérea chama,
Molha-o a luz do teu olhar fagueiro;
E o sol, nos teus dois sóis prisioneiro,
Embalde ir para o céu forceja e clama.

Deixa-o ir. — Fica tu serena e casta
No calor desta alcova pequenina,
Que a imensa curva azul talvez mais vasta.

Deixa-me após na luz que me fascina,
Deste céu em que estás, e que me basta,
Cair morto aos teus pés, mulher divina.

CADÁVER DE VIRGEM

Estava no caixão como num leito,
Palidamente fria e adormecida;
As mãos cruzadas sobre o casto peito,
E em cada olhar sem luz um sol sem vida.

Pés atados com fita em nó perfeito,
De roupas alvas de cetim vestida,
O torso duro, rígido, direito,
A face calma, lânguida, abatida...

O diadema das virgens sobre a testa,
Níveo lírio entre as mãos, toda enfeitada,
Mas como noiva que cansou da festa...

Por seis cavalos brancos arrancada,
Onde vais tu dormir a longa sesta
Na mole cama em que te vi deitada?

ÓDIO ESTÉRIL

Gosta de ver a multidão rendida
Esta mulher, mais velha irmã da aurora,
Que, há muito tempo, do botão da vida
Toda nova, a áurea fronte pôs de fora.

Contudo a luz da tarde amortecida
Doira-lhe a tez da cor triunfal de outrora,
E inda conta, sorrindo, hora por hora
Muita cabeça aos seus dois pés caída;

Seu poder, cheio de desdéns, não cansa:
E o alfange rubro, o seu rir voluptuoso,
Abate a quantos enche de esperança.

Mas eu... por lhe não dar estranho gozo,
Dou-lhe o meu ódio...e sei que esta vingança
É um lobo a uivar por seu luar formoso!...

NUDA PUELLA

Soltas de leve as roupas, uma a uma
Caem-lhe: assim a camélia se desfolha;
E quando n'água o belo corpo molha,
A água soluça, e o enleia, e geme, e espuma.

Logo que ela no banho, que perfuma,
Como ao luar um cacto, desabrolha,
Envolve-a o céu radiante, e a luz em suma
Põe-lhe o véu d'oiro em cima, e a afaga, e a olha.

Ao sair, molemente em ondas frouxas
À nuca, à espádua, às nádegas, às coxas
Vão rolando os cabelos abundantes:

Cobrem-lhe um pouco o rosto, o seio, o flanco...
E ei-la, bem como à sombra um lírio branco,
No orgulho astral das deusas deslumbrantes!...

SUNT ANIMAE RERUM

Estrelas, que loucura e garridice
As vossas danças esta noite tem?!...
E quem, há muito tempo, se não risse,
Vendo-vos rir, deitara a rir também.

Arroios desgrenhados de doudice,
Por entre seixos, que buscais além?
Beijam-se os velhos troncos!... E há quem visse
Fremendo um lírio ao pé de uma cecém!...

A noite é um ninho; o amor uma doçura;
E quando a brisa pelo azul murmura,
Soluça o bosque... e há beijos pelo val!...

Deuses e deusas turbulentamente
Passam a rir no laranjal florente...
Ou chora... ouvis?... ou chora o laranjal?...

TELA APAGADA

TECUM VIVERE AMEM.
Horácio

Como isto aqui mudou!... Agosto, o ano passado,
Tinha mais sol, mais luz, mais calor, menos frio;
Mas tudo o mais é o mesmo: a água do mesmo rio,
A ponte de madeira, as mangueiras, ao lado,

Velhas, grandes, em flor, o lanço esburacado
Do muro, e o líquen nele, e a avenca, e o luzidio
Lacrau, que salta, e vira, e já volta ao desvio;
O cão ganindo; e a um canto, à esquerda, ao longe, o prado.

Bambus em renque, em meio o caminho, e no espaço,
Longe do morro, ao fundo, a casa; e no terraço
Sobre o jardim, talhando o ar cintilante, a imagem

De um anjo, — um áureo nimbo à coma, o olhar humano
Como jamais pintou Corrégio ou Ticiano:
Quem, levando-a, apagou a esplêndida paisagem!...

NUM CARRO DE BOIS

CUM SOL OCEANO SUBEST.
Horácio

Desde a infância, imortais, vós sonhadores sois!...
Vós, ó poetas, só vós, ouvis a sinfonia
Que espalhavam na estrada, ao declinar do dia,
Um velho, um carro tosco e dous morosos bois!...

Que véu d'opala e d'oiro em pó fino os cobria...
Como, a se entrerroçar; inclinavam-se os dois!...
Pelas cercas à flor a luz inda sorria,
Dulias de aroma à luz cantava a flor depois!...

Quando, a aguilhada ao ombro, o carreiro indolente,
Deixava-me ir na caixa, agarrada aos fueiros,
De lá eu via o sol descer pisando, ao poente,

Espáduas colossais de deuses prisioneiros;
Enquanto ouvia já passar furtivamente
As Dríades no vale, os Silfos nos outeiros...

OVÍDIO

Com que dor tu deixaste Roma, e em Roma
O coração, que em ti foi tudo, ó poeta!
A glória ia a embalar-te a vida inquieta,
E um belo sol de amor, que a doira, a soma.

Teu plectro a Orfeu os sons mais doces toma;
Tem o teu surto incircunscrita meta;
A inveja, um cão sem asas, jamais doma
A uma águia em vôo, a um gênio obra que enceta.

Ao exílio embora o ódio te sagra, o exílio
Dá mais doçura ao hexâmetro latino;
Há todo um campo em flor num teu idílio.

Na dor, que em ti pranteia, alvora um hino;
Fulge a lágrima dele em cílio e cílio;
Cantar, sofrer, ser deus, foi teu destino.

(Gravuras)

GAIVOTAS

Do crespo mar azul brancas gaivotas
Voam — de leite e neve o céu manchando,
E vão abrindo às regiões remotas
As asas, em silêncio, à tarde, e em bando.

Depois se perdem pelo espaço ignotas,
O ninho das estrelas procurando:
Cerras os cílios, com teu dedo notas
Que elas vêm outra vez o azul furando.

Uma na vaga buliçosa dorme,
Uma revoa em cima, outra mais baixo...
E ronca o abismo do oceano enorme...

Cai o sol, como já queimado facho...
Do lado oposto espia a noite informe...
Tu me perguntas se isto é belo?... e eu acho...

(Marinhas)

A SULTANA

Foi festa, e grande, em toda a Cachemira
Quando chegou, montada no elefante...
Viu-se em leve sandália de safira
O seu pé de uma alvura deslumbrante;

Colhendo as sedas, sua mão ferira
Com luz nevada a multidão, diante
Da qual o rosto apenas descobrira
Na sombra do riquíssimo turbante;

Mas quando viram seus nevados seios,
Brancos, riscados de azulados veios,
C'roados de uma auréola de cabelos,

— Tênues fios de estrela que irradia...
Para não ofendê-la à luz do dia
Fugiram dela ao trote dos camelos.

(Levantinas)

A LUÍS DE CAMÕES

Devias ter colhido estrelas luminosas
Para fazer o fogo enorme e criador,
E o bronze preparar das formas grandiosas
Da estátua do feroz e horrendo Adamastor.

Devias ter bebido às curvas graciosas
Do céu o leite doce e cheio de vigor,
Que sai dos seios nus das cintilantes rosas,
Para pintar Inês — a pérola do amor.

Devias ter sorvido as lágrimas da aurora,
Para a Vênus gentil pintar, quando ela chora
Perturbando no Olimpo os deuses imortais.

Mas para encher de sóis teu canto imorredoiro
Devias ter roubado ao Deus a pena d'oiro,
Com que ele pinta o azul a traços colossais.

(Camoneana)

A CEGA

A vida... quem a fez, fez a dor: punhalada;
Fez-se o mar, pôs-se nele um crime: a tempestade;
Inventou-se o terror servindo à crueldade;
Fez-se a flor, nela dorme o veneno: emboscada.

Fez-se a rosa, o que é bom, para o espinho: cilada;
Fez-se o céu, um abismo; outro, o inferno: maldade;
Fez-se o verme, um horror, torpe inutilidade;
Enfim o homem fez Deus: Deus fez isto, e mais nada.

Deus não ama a ninguém, como a ninguém odeia;
Do seu nome, isto só, toda a terra está cheia;
Como nós, qualquer vício ele em si mesmo traz.

A força será sempre essa louca, essa cega
Que tudo deixa, e logo em tudo outra vez pega,
E, Penélope eterna, anda, faz e desfaz?...

(Nuvens e Raios)

O MAL

Eu não imploro nunca aos deuses superiores:
No meu orgulho sei que rirão de piedade;
Eles conhecem bem a pobre humanidade,
E a jaula onde está preso o cão de nossas dores.

Ninguém sai de si mesmo, e sai dos seus horrores;
Somos isto: não há mudar na eternidade:
Há para nós em tudo uma cumplicidade;
Levas contigo o mal sem fim, para onde fores.

O mal, obra que acusa um grande pensamento,
O mal, que prende o céu à terra, o mar ao vento,
O mal, do qual um deus foi exímio escultor;

Que é deus mesmo, — e será? eu dentro em mim pergunto, —
Que encosta o dia à noite, e o pranto ao rir põe junto,
O mal único, o mal, que é todo o mal, — é o amor.

DEUS

Of Heaven, and from eternal splendours flung For his revolt...
MILTON — *Paradise Lost*

Deus existe? ou é Deus somente um nome vão?...
E bato às portas d'ouro e de opala da aurora,
Donde o sol — velho leão — noite e estrelas devora:
E às estrelas da noite em louco turbilhão...

Ao mar, ao vento, ao raio, ao tempo, ao abismo em fora,
Ao argueiro, e à montanha, às lavas, e ao vulcão,
Ao passado, ao porvir, ao berço, à cova... Embora!...
Cala-se a natureza ou me responde: — Não.

Subo à minha alma então: Chamo-a, interrogo-a... Nada
E ela fica a oscilar, no abismo pendurada,
Vendo o espaço afundar-se em outro espaço sem fim...

Só entre o torvelim dos caos em labirinto,
Como com seu bordão na areia um cego, — o instinto
Sobre a poeira dos sóis grava um trêmulo — Sim.

À HORA DO ALMOÇO

Pelo sapê furado da palhoça
Milhões de astros agarram-se luzindo;
O pai, há muito, madrugou na roça:
A mãe prepara o almoço. — O sol é lindo.

Canta a cigarra; o porco cheira; engrossa
O fumo dos tições; — anda zunindo
À porta um maribondo; e fazem troça
As crianças com um ramo o perseguindo.

Correm, chilram, vozeiam, tropeçando
Num velho pote; — a mãe, zangada, ralha.
A avó lhes lança o olhar inquieto e brando.

No chão um galo ajunta o milho e o espalha,
Enquanto a um canto, as penas arrufando,
Põe a galinha num jacá de palha.

A SAÍDA

O galo canta: o ar, que freme, é quente:
Desce ruflando pelo vale o vento;
Há no horizonte os rolos de uma enchente
Do mar, que invade e doira o firmamento.

Toca a sineta; vem saindo a gente
Da senzala, num jorro sonolento:
Depois da reza, a passo tardo e lento,
Enxada ao ombro, dois a dois em frente,

Ao eito vão pelo carreiro aberto:
O mato cheira, rumorejam ninhos
No cafezal, de branca flor coberto...

Há um grande chilrar de passarinhos...
E enquanto o escravo vai... segue-o de perto
A risada da luz pelos caminhos...

ENTRADA NA FLORESTA

Há uma nódoa branca na verdura:
Um novo aroma bom a selva exala:
Troncos, de pé!... Quem vai, quem vai buscá-la?
Honra-vos, bosque, a sua formosura!

Ei-la aí. — Esta mata ou treme ou fala:
Tem cada galho um êxtasis; ternura
A sombra; o sol ebria-se a fitá-la,
Num voluptuoso espasmo de ventura.

Traçam-lhe um ninho os pássaros; de esguelha
Olha-a um fauno; enche-a a luz de pedrarias;
O ar a oscula, a aquece, a faz vermelha.

Metem-se em líquens d'oiro as penedias;
Para ouvi-la, o grotão lhe estende a orelha;
Cantam, para embalá-la, as ramarias.

UBI NATUS SUM

Na rua Augusta, em Santa Catarina,
A cama em cima duns pranchões de pinho,
Aí nasci, foi aí o humilde ninho
De uma criatura mórbida e franzina.

Nos fundos de uma loja pequenina,
O lençol branco a arder na luz do linho,
Da minha mãe, da minha mãe divina,
Tive o primeiro tépido carinho.

Meu pai foi sempre a honra em forma humana,
Tinha a virtude máscula e romana,
Não era austero só, era feroz.

Trabalhava incessante, noite e dia,
Como um leão seu antro defendia,
E era uma pomba para todos nós...

QUEIXA

Mulher, confias muito em tua eternidade:
Pensas que hás-de prender nas mãos a primavera,
Que as rosas da manhã durarão, que não há-de
Ter para ti o tempo o rugido da fera,

Que entre as garras mutila a carne sem piedade,
E os lírios brancos do rosto gentil lacera:
Entre um beijo e um sorriso aí ruge a mortandade
Dos sonhos d'oiro, que cria em nós a quimera!...

Hão-de fugir de ti, como ao inverno que chega,
Em longas cordas vão fugindo as andorinhas:
Cobrirão lençóis d'água o cadáver da veiga...

E então te lembrarás das lindas canções minhas,
Cheias daquele meigo olhar da noite meiga,
E para as quais o teu olhar de sol não tinhas.

A COVA

Faz mais larga essa cova, estúpido coveiro;
Pois não vês que são dois buscando o mesmo leito?
É preciso que caiba um longo travessseiro,
Para dormirem face a face, peito a peito.

Virei deitar-me em tempo: hoje não, não me deito
Sem que nos braços meus a carregue primeiro:
Quero cobri-la bem, pôr-lhe o tronco direito;
Que é muito longo sempre o sono derradeiro

Guarda do cemitério, o jardineiro aí fica,
Quero roseiras só, quero muitas roseiras;
Que ardam rosas em que seu corpo multiplica.

Que os pássaros aqui cantem horas inteiras:
Que esta leiva, em que está da terra a flor mais rica,
Seja o teu ninho, amor, quando um ninho, amor, queiras.

TAL ESTÁ MORTA...

Abriu a boca, e a rúbida golfada,
Que do seu peito exausto então rompia,
Desmanchava-se em rosas da alvorada
De um sol cor do lençol, que a cobriria.

Ofélia aflita sob a vaga fria,
Quebrando a nota da canção cantada;
Desdêmona no leito, amante e amada,
Idas? por quê? tão de repente um dia...

Dante e Beatriz, Romeu e Julieta,
Laura e Petrarca, Sanzio e Fornarina,
A coorte no céu, do amor eleita,

Guardam-na às portas da mansão divina,
Enquanto um anjo as asas brancas deita
De manso ao rosto, que ela ao colo inclina

FEBRE

Quando a vejo passar, taça límpida e cheia,
Que nenhum lábio humano até hoje tocou,
Sinto que febre intensa a minha alma incendeia,
E ardo por lhe tomar, no delírio em que estou.

E ela passa por mim do meu mal tão alheia,
Sem saber da emoção que um louco atrás deixou;
E quero acometê-la, e sinto uma cadeia,
Que em meu leito de angústia em voltas me cerrou.

Eu tenho fome, vem, fruto do paraíso;
Eu tenho sede, em vão grito: formosa, vem;
Virá contigo, eu juro, o perdido juízo.

Do cíato, que o aroma impoluto contém,
Quero beber o céu, à sombra do teu riso,
E Éden novo e melhor ter eu nele também.!...

ABISMOS QUE SE INTERROGAM

Vaga após outra vaga; e o seu olhar as via,
Como uma seda azul, que o vento amarrotasse,
Ir indo longe, e ao largo, em torno à serrania;
E aquela névoa toda andava-lhe na face.

Como um abismo, que outro abismo interrogasse,
Sempre que a um tufão novo o pélago rugia,
Via-lhe ao tumultuar, que morre, e que renasce,
Buscar a causa dessa inquietação sombria.

Noite arrastando um luar, como um amplo sudário
Errante além no oceano, acabava o cenário,
De que ela ia saindo, ou parecia entrar.

Eu atrás, quasi ao pé, mais tristonho que sério,
Cria d'ambos — talvez — compreender o mistério:
E o mistério maior, não... não era o do mar

A LOBA

É o amor uma loba; — os sóis devora;
Anda a estrugir com sua voz medonha
De noite à lua; e vela, e dorme, e sonha
Leitos de opala, como os tem a aurora!

A dor terrível pelo olhar lhe chora
Ante a extensão indômita, enfadonha,
Onde a caça esplendente arfando mora,
Sem que numa somente as garras ponha.

Olha inda o céu da gruta à borda, e um grito,
Em vez dos dentes, crava no infinito;
Crava um último olhar furioso e louco.

O amor é assim; — a famulenta loba,
Que os sóis, se pode, morde, apanha, rouba.
E enche os seios p'ra os dar, e inda acha pouco.

CIO

Não ouças, não, o soluçar do cheiro
Dos lírios brancos, dos rosais florentes...
Que te não fale ao ouvido o jasmineiro...
No vale Pã e os Sátiros não sentes?...

Olha. É cada perfume um mensageiro,
Que te enlaça nas asas transparentes:
Cantam teu nome os troncos e as correntes,
Dançando aos sons de um colossal pandeiro!...

Com junquilhos gentis prende-te os pulsos
Eros, morde-te estranho calafrio,
Antes carícia, o flanco, e aos seus impulsos

Verás irada a natureza em cio,
E os deuses desgrenhados e convulsos
Beijando em coro as Náiades do rio!...

JESUS AO COLO DE MADALENA

A Guilherme Bellegarde

Jesus expira, o humilde e grande obreiro!...
Sobem já, pela cruz acima, escadas;
E nos cravos varados do madeiro
Batem os malhos, cruzam-se as pancadas.

Ouve-se o choro em torno. — As mãos primeiro,
Inertes, caem no ar dependuradas;
A fronte oscila; arqueia o tronco inteiro
Nos braços das mulheres desgrenhadas.

Soltam-se os pés. — Aumenta o pranto e a queixa.
Só Madalena ao oiro da madeixa
Limpa-lhe a face, que de manso inclina.

E no meio da lágrima mais linda,
Com o dedo erguendo a pálpebra divina,
Busca ver se Ele a vê... beijando-o ainda!...

A GRANDE SOMBRA

Castro Alves
...*Speak; I am bound to hear*
Shaskespeare

Bóia — sobre as espumas flutuantes
Do oceano do tempo — acalentado;
E foge assim pela maré levado,
Ao hino das estrelas cintilantes,

Eco apenas de cânticos gigantes
Que em chamas ideais tinha moldado;
Das mãos caiu-lhe a lira d'oiro, em antes
De ter os mundos, que sonhou, formado.

Que epopéias lhe andaram pela fronte,
Como vulcões a arder num vasto monte!...
Ergueu-se na atitude de um colosso.

No oceano do tempo hoje enfim dorme;
E a sombra, que deixou, a sombra enorme
Viu-se, que era a de um sol, morrendo moço

O COLO

Seu colo é como um lírio, alvo e elevado,
Tendo o esplendor dos mármores brunidos,
Sobre a espuma das rendas dos vestidos,
Como a de um mar em pontas desdobrado.

Ondula, como em lago o cisne a nado,
Brando volita em todos os sentidos:
Tem os giros dos sóis nos céus perdidos,
E cheira, como o abrir-se em flor um prado.

Fez dele obra de artista florentino
Base em que assenta o rosto seu divino,
Onde de noite e de dia a beijos bordo,

E a cabeça, em que um astro anda desfeito
Em raios, que dão luz à espádua e ao peito,
E a cuja sombra d'oiro eu durmo e acordo...

A PERNA

Esta é bem como o limiar augusto
De Éden, em que ninguém ainda há vivido:
Que causa, a quem quer ir, terror e susto,
Pois guarda-o um anjo de clarões vestido.

Quem o caminho dele sabe ao justo?
O carreiro das rosas é sabido;
Das pombas brancas ao pombal hei ido:
Mas... como ao paraíso ir mesmo a custo?

E todavia aquela perna indica
Que muito longe dela o céu não fica:
Tentar, como um Titã de um raio em troco?

Aquela ponte de marfim maciço
Passar, subir... quem pode fazer isso?
Um louco? — Eu vou... Quem há do que eu mais louco?

CAVERNA RUBRA

Quando, caverna rubra e monstruosa,
Onde habitam os deuses deslumbrantes
Sobre cochins de sedas cor-de-rosa,
Talhados para toros de gigantes;

Quando paro ante ti alguns instantes,
Na raiva doida, lúbrica, ansiosa,
Sombra no rosto, os membros palpitantes,
À porta augusta, viva e esplendorosa;

Eu quisera furtar-me à covardia
Dos sóis, dos universos afrontados,
Hirtos de inveja, horrendos de ironia,

Caindo em teus abismos estrelados,
Caverna rubra, aberta na harmonia
De um corpo feito de clarões coalhados...

DEPOIS DO BANHO

Sai do banho: o seu corpo alabastrino
Goteja: a água murmura do abandono;
Vê-se abatida, lânguida, com sono...
Lança mão do lençol, quase sem tino.

Mostra-lhe o espelho o corpo peregrino:
Ela o admira, e busca ver-lhe o dono...
Anjo, merece um céu; mulher, um trono:
Cisma, e sacode as tranças d'oiro fino.

Senta-se, e mostra a orla avermelhada
De uma estrela, que imerge no infinito,
Sob uma névoa loura ainda molhada.

Seu rosto inquieto oscila alegre e aflito:
Mas... numas longas asas confiada,
Pensa fugir ao mais ligeiro grito...

LAETITIA

Morre: ninguém te há de querer tão fria,
Nem contigo dormir no mesmo leito;
Ninguém mais ouça, dentro do teu peito,
Bater-te o coração como batia.

Na tua alcova há de cantar o dia;
E o ninho, onde emplumou teu corpo, feito
Do que o céu tem de bom e há de harmonia,
Fique a estranho ludíbrio enfim sujeito.

Leva contigo a luz da tua aurora,
Leva a cruz branca dos teus braços, corta
Tudo que a ti me prende e vai-te embora.

Como és bela ainda assim!... isso que importa?
Enquanto em torno tudo é triste e chora...
Oh! que alegria eu sinto em ver-te morta!...

IN HER BOOK

Ela andou por aqui; andou. Primeiro,
Porque há traços de suas mãos; segundo,
Porque ninguém, como ela, tem no mundo
Este esquisito, este suave cheiro.

Livro, de beijos meus teu rosto inundo,
Porque dormiste sob o travesseiro
Em que ela dorme o seu dormir, ligeiro
Como um sono de estrela em céu profundo.

Trouxeste dela o olor de uma caçoula,
A luz que canta, a mansidão da rola
E esse estranho mexer de etéreos ninhos...

Ruflos de asas, amoras dos silvedos,
Frescuras d'água, sombras e arvoredos
Dando seca aos rosais pelos caminhos...

ONLY

...della todo me enchi...
BERNARDIM RIBEIRO — Romance

Seu leito lindo; a cama alva e faceira
Branca de espuma, fresca como um rio,
Tendo por cima o eterno murmúrio
De uma alma de mulher bela e solteira.

Junto à sua otomana uma cadeira;
Cortinas leves de alvejante frio;
Livros aqui e ali, e o calafrio
Do silêncio na sua cabeceira.

Em duas jarras, rosas, bem cuidadas,
Ridentes, fulvas, lúcidas, molhadas...
A mobília riquíssima e singela...

Um cheiro de mulher cobrindo tudo...
E eu sozinho, inquieto, aflito, mudo,
Loucamente abraçando a sombra dela...

CREDO

Não vale a glória um dia em teu regaço;
Prefiro estar contigo um só minuto
A ter os sóis que rolam pelo espaço,
Ou da terra ou do mar banal tributo.

Teu colo à mão, tua cintura ao braço,
Ouço a inveja dos deuses, com que luto;
Enquanto o céu todo estrelado laço
Em ti, e em ti meu ser mesclo e permuto

Forra-me o amor todo o horizonte, todo
O vale em flor se rasga, e ouve-se o bando
Dos silfos nus gemendo, em cio, em rodo,

Quando te envolvo em largo beijo, quando
Crendo em tudo, e em ti mesmo crendo, doudo
Vejo-te dentro dele ebriada e arfando...

"O LAGO"

Mulher, és como um lago em flor, que se ilumina
Ao sol, e como a flor abre o seio esplendente;
Eu me banhava em ti desassombradamente,
Água, flor da manhã, branca flor da campina.

Dos pássaros em torno a canção matutina
Fazia rir de gozo e arfar de amor o ambiente;
Cantava pelo espaço a primavera olente,
Cantava a aura do céu, cantava a luz divina.

Mármore unido, que veia azul brando apenas,
Parecias ouvir, cismando, as cantilenas,
Que enchiam toda a veiga, abrasada de aurora.

O! lago, eu me banhava em ti; mas de improviso
Fui ao fundo, e no fundo achei o paraíso:
E onde o paraíso está, eu sei agora...

UM DUELO DE MORTE

Ao ver-te assim, ó! virgem deslumbrante,
Sinto a ferocidade da pantera
Quando nas curvas garras dilacera
A carne em sangue quente e palpitante.

Tu tens o olhar do caçador triunfante,
Que o salto do animal feroz espera,
E está firme na tua mão possante,
O ferro, em que se atira, urrando, a fera...

Por isso estou de longe a ver-te: estudo
A voz, o riso, o teu silêncio, o porte...
Triste, irado, brutal, furioso, mudo...

E a emoção, que te abala o peito forte,
O que te enerva, cega, irrita... tudo...
Pois, ou morro, ou te dou num beijo a morte...

DUAS NUMA

Tu tens de Aspásia, e tens de Margarida
O luxo, a inteligência e a cor aérea;
E um pejo a rir de si; e és, como Impéria,
Grande nos palcos fúlgidos da vida.

Da coroa virginal, cedo caída
Da fronte, falas quase honesta e séria:
Choras: lamentas a fatal miséria,
Ó Madalena, nunca arrependida.

As tuas níveas carnes palpitantes,
Como as asas de um pássaro à corrente,
Que tinha o céu por seu a algum instante...

Nos olhos teus a lágrima tremente...
Finges tudo, se às garras lacerantes
Te cai um'alma tímida e inocente...

MISÉRIA POR MISÉRIA

Nem da virtude tendes a impostura!...
Sois como sóis: erráticas falenas;
As Hetairas lúbricas de Atenas
Prolongam-se até hoje por ventura.

Quem vos busca, inocências não procura:
Vós não tendes, ó pálidas pequenas,
Senão de vossa carne as açucenas,
E os sóis de vossa ardente formosura.

São vossos rubros beijos fementidos:
Mas vos chamais Friné, Aspásia, Impéria;
Não trazeis vossos vícios escondidos.

Quantas dariam sua vida séria,
Sem torpes jóias, sem banais vestidos,
Por vossa negra e esplêndida miséria!...

O BELO FEMININO

És tu, beleza, a cortesã primeira,
És tu quem desce sobre o corpo dela
No dia em que era esplêndida donzela,
E que a fizeste tua prisioneira.

Tu, não ela, tu és a verdadeira
Prostituída e vil: és tu quem gela
E mata d'alma a candidez singela,
Tu, beleza funesta e traiçoeira.

Por que não vestes só as almas castas?
Por que não deixas tu as almas mortas?
Por que não vais às regiões mais vastas?

Por que não foges para os céus? Suportas
Esses anjos sem luz, e não afastas
Quem vai bater ao céu de suas portas!...

CAPRICHO DE DEUSA

Às vezes esta deusa, esta princesa
Despe a clâmide branca, a toga austera,
E dos degraus de estrela de onde impera
Baixa à terra — numa hora de fraqueza.

Quer ser mulher e entrar na natureza,
Vem até mim, como domada fera,
Beija-me a boca e foge, e não espera...
Ateia a chama e a chama aí fica acesa.

De longe, só por molestar-me, insiste
A olhar-me, a olhar-me!... E após, ao ver-me triste,
Na voz um riso, um riso na retina,

Meu coração agarra, agarra e estrinca,
Como quem, por passar o tempo, brinca
Com um pomo preso ao galho que se inclina...

ERAS DO AMOR

A M.R.

Busca-se um céu estranho ao céu que vemos,
E um anjo em vôos deste céu senhor!...
Talvez exista!... a tarde é triste: sonha-se!
É a esperança do primeiro amor.

Acha-se um anjo na mulher querida:
Bem como o aroma que trescala a flor,
Ela nos enche de perfume a vida...
É o sorriso do primeiro amor.

O céu é claro e transparente; a lua
Nada no azul em lânguido palor...
Furta-se um beijo tímido... e desmaia-se...
É a ventura do primeiro amor.

Um dia — cedo — o talismã se parte,
E a sombra passa da primeira dor...
Fica a mulher; e o anjo foi!... Gememos!
É o gemido do primeiro amor.

Pouco depois a mocidade morta
Sobre o passado — mar sem fim nem cor —
Bóia abraçada ao anjo seu... Choramos!...
É a saudade do primeiro amor.

TÂNTALO

Tenho a sede do monstro. — A entranha me devora
A ânsia de saciar a sede, que me mata:
Quero beber-te o ouro, esplendorosa aurora,
Beber-te o rubro sangue em ânforas de prata.

Tântalo!...Ouves a voz que te chama? Não mente,
Tântalo, a maldição que há dentro desse grito?!...
Tens sede? muita sede? Aí tens a água corrente...
É a mulher, religião, ideal, fé, culto, mito,

Esperança, consolo, enlevo, angústia, sonho!...
Abraça-a sempre, e muito, ao peito teu a aperta:
Jamais acharás termo ao teu sofrer medonho:
Tens, Tântalo maldito, a tua sede certa.

Tântalo!... um monstro! um fero, um gigantesco assombro
Capaz de dar assalto à muralha celeste,
Capaz de ter o céu em cima de um só ombro!...
Mas... que sede a queimar-lhe a entranha, Amor, lhe deste!

A fonte pura salta, e fios d'água jorra,
Que lhe procuram dar calma, alívio, frescura:
Porém a sede, a sede imensa o torra,
E assenta-lhe na fronte o espasmo da loucura.

Rubra a língua lhe sai da boca e alonga tesa,
Como a cauda de algum cometa inopinado:
A fauce escancarada é como forja acesa;
Parece ter lá dentro o inferno encarcerado.
Os olhos, como dois vulcões do abismo soltos,

Das órbitas estão sinistros irrompendo;
E os cabelos ao ar, em nuvens, e revoltos
Tornam Tântalo um monstro enorme, feio, horrendo.

Leva a mão a um penhasco, e o penhasco vacila,
Rola, cai, faz-se em ouro; a relva de esmeralda
Ardendo vai tocá-la a sua mão que escalda:
— E a relva, que verdeja, é oiro, que cintila,

É oiro, que lhe ri em áscuas iriantes,
É oiro, que lhe sopra à cara gargalhadas:
É oiro que se enrola por sombras gigantes,
E lhe enche as duas mãos, de tê-lo fatigadas.

Que sede intensa! À boca a água chega mudada
Em oiro derretido, em oiro, que o sufoca...
Nem já para gemer a voz lhe foi deixada:
É oiro, é oiro, é oiro, é oiro quanto toca.

Eu sou, mulher formosa, o Tântalo horroroso,
Que tem sede e que quer, ó fonte d'água pura,
Beber em ti somente os ressábios de um gozo,
Beber em ti somente uns restos de ventura.

Toco... e sinto-te bela, e dura, e luminosa
A cintilar, como um pedaço d'oiro ardente,
E fica a sede imensa, a sede angustiosa,
Sede, que me devora, e queima eternamente.

É oiro quanto toco, é oiro quanto afasto...
Muda Tântalo em oiro a lágrima que chora:
Condenado por ti, este martírio arrasto,
Sob o fogo, que queima, e sai de ti, Aurora.

Eu sou o agrilhoado à esplêndida montanha:
Eu sou o sequioso a ver a água, que corre;
E nesta sede intensa, e nesta dor tamanha,
Ai! Tântalo inda vive!... Ai! Tântalo não morre!...

PROMETEU

Tu és a pedra branca, a estátua cinzelada;
    Teu criador sou eu:
Os deuses te amarão, tu podes ser amada:
    Formou-te um Prometeu.

Procurei pôr-te à fronte, aberta largamente
    A golpes de buril,
Quanto o céu guarda em si de mais puro e esplendente,
    E a flor de mais gentil.

Tu tens, ó casta deusa, as nuvens cor de rosa,
    De que te rodeei:
E as alvas do meu canto, auréola gloriosa,
    Que não te dera um rei.

Tens o prestígio, o encanto, e a eterna melodia
    De que te revesti:
Tens meu amor: e eu, ó sol do meio-dia,
    Eu... que tenho de ti?...

Toda a noite que está nos olhos teus, rolaste
    De chofre sobre mim:
Meu pobre coração, em que sombras te achaste,
    Em que noite sem fim...

Noite, que vem de ti, em vez da luz que ardia
    Dentro do teu olhar,
Noite longa, profunda, imensamente fria,
    Sem astros, sem luar.

Tu és o meu trabalho: o meu cinzel de artista
    Levantou-te imortal:
És a minha escalada, és a minha conquista
    Ao fogo sideral.

Procurei pôr-te à fronte, aberta largamente
    A golpes de buril,
Quanto o céu tem em si de mais puro e esplendente,
    E a flor de mais gentil.

Tu és minha obra d'arte: eu afrontei o espaço,
    O tauro, a hidra, o leão:
Na goela d'oiro dos monstros meti o braço,
    E lacerei a mão.

Trouxe grenhas de sóis entre os dedos sangrando,
    Fogo em teu sangue pus,
Auroras no cabelo, e no olhar céus iriando,
    Pedra, fiz-te de luz.

Alabastro, animei-te, e tudo em torno olhou-te,
    Quando te pus a andar:
Parecia que nunca haveria mais noute
    À luz do teu olhar.

Conhecia-te alguém antes de eu dar-te vida?
    E o mundo hoje te quer:
Homens e deuses, todo universo, querida...
    Ó querida mulher.

Fixei-te para sempre: amarrei o infinito
    Aos teus dois pés gentis:
Ergui o teu altar, e formulei teu rito:
    És aquilo que eu quis.

És minha para sempre, és minha como a idéia
    A que dei gesto e ação,
Como Atena é de Fídias, como Galatéia
    É de Pigmalião.

Tirei-te enfim dos fundos do meu sonho,
    Onde não vai ninguém,
Onde tudo é mistério, onde só eu lá ponho
    As estrelas que tem.

Fiz-te e amei-te, sim: mas eu fui fulminado
    E tenho a eterna dor,
Sentindo o coração do abutre devorado,
    Sentindo o eterno amor.

O amor é o grande cimo, a que me encadearam,
    E eu não soltei um ai:
Num pedaço do céu com astros me enrolaram
    E me disseram: cai.

Riram-se: e aí fiquei atônito, agarrado
    Aos monstros colossais:
Requeimado da luz, por vós caluniado,
    Ó deuses imortais.

Os senhores do céu, os deuses permitiram
    No meu caminho a pôr:
Puseram-na: de amor por ela me feriram,
    Sem dar-me o seu amor.

Os deuses, os que tudo inventam, sabem, podem,
    Que fizeram o mar,
Que fizeram o céu, e nele nos sacodem,
    E deixam-nos rolar:

Que alinharam o jaspe, o mármore, o granito
    Adiante de nós,
E deram-nos na taça ampla de ânsia o infinito
De uma moléstia atroz;

E deitaram adrede à mão pelo caminho
    Tudo que se requer
Para ter o arvoredo, e pendurar o ninho,
    E encontrar a mulher.

Quem arranca do nada um sol de tal grandeza,
    Quem lhe cria o esplendor,
Quem amolece a pedra, e quem ergue a beleza,
    É só o nosso amor.

Agora anda por sobre a minha fronte o abutre
    A grasnar, a roer;
E estou vendo o animal da entranha em que se nutre,
    A alentar-se e a crescer.

Hoje além do feroz bico, que me espedaça,
    Sinto o peso ao grilhão,
Sinto o peso do sol agarrado, oh! desgraça,
    Aqui no coração.

Abutre és tu, amor: sol és tu, que carrega
    Meu fado; e o Prometeu
Que não maldiz o abutre, e ao sol voraz se entrega,
    Sou eu, mulher, sou eu...

Dei-te tudo que é bom, ó mármore cortado
    Num belo corpo nu;
E foi dele a rijez, sem coração ao lado,
    O que me deste tu!...

SÍSIFO

> ...*ruit alto a culmine*...
> VIRGÍLIO — *Enéida*

És tu essa montanha; — é meu esse meu sonho!
Quero que sejas minha: estás bem longe? embora:
Pesa, como um penhasco: o carreiro é medonho:
Mas o ideal, que me eleva, os pulsos me avigora.

Irei buscar-te. — Bem: cavarei um caminho
A golpes de machado em selvas seculares:
Golpearei o rochedo; afastarei o espinho,
Subirei os degraus que dão p'ra os teus altares.

Foste assentar a tenda, estrela luminosa,
Em cima da montanha, à coroa da floresta:
Sei que estás longe: a estrada é hirta e perigosa:
Ou antes nem estrada alguma aos meus pés resta.

Nada. — Tudo é bravio: há um luxo, uma abundância
De verdura a florir, de arroios murmurantes;
De intrincado arvoredo escuro, a fazer ânsia,
A dar terror e inércia a braços de gigantes.

Que batalha a vencer! Que indomável coragem
Ante as feras legiões de bosques encostados
Em longos troncos nus, coroados de ramagem,
De galhos mortos, para arremesar, armados.

Têm os seus generais indômitos vestidos
De malha transparente, e lúcida couraça,
No dorso dos leões dos ventos conduzidos,
Que movem de um só brado a enorme populaça.

Ruem... dobram-se: e então rojando os velhos galhos,
Como muletas de titãs anquilozados,
Ficam de pé rosnando, assim como espantalhos,
De espaço a espaço, em terra adrede alevantados.

Mãos à obra. — Por terra, estultos veteranos:
Morde, machado, nos agigantados vultos
De dorso arcado às mãos titânicas dos anos:
Velhos heróis, o que fazeis na selva ocultos?

Ide para a planície; ide para o oceano:
Ide ao campo, ide ao vale, ide à aldeia, à cidade:
Tronco, muda de rumo: ó bosque, faz-te humano:
Deixa-me a selva chã e livre por piedade...

Preciso de rolar ao cimo da montanha
O meu rochedo enorme, o meu pesado sonho;
E a selva secular, que em troncos se emaranha,
É uma sentinela atroz, de olhar medonho...

Oh! prejuízos vãos! Oh! leis! Oh! vãs quimeras,
Vós sois o florestal bravio, imenso, horrendo,
Que não deixais abrir a flor das primaveras,
E impedis de subir aos cimos, que estou vendo.

Mas não importa: o alvo está lá: — caminhemos:
Sobe, meu sonho, sobe: eu bebo um novo alento,
Cada vez que te agarro, e digo: chegaremos,
Feliz, alegre, em que cansado e suarento;

Galgo outeiros e absorvo os rudes precipícios:
Salto valos e, calmo, os barrocais transponho:
Longas distâncias venço; e já sinto os indícios
De chegar muito em breve aos cimos com meu sonho.

Ei-lo, o viso no alto! — Ei-la, a bela planura,
Onde estendeu a tenda a estrela radiante:
Posso levar ao lábio a taça da ventura:
Bate as asas, minh'alma: o céu não 'stá distante.

Cheguei! — Mas através de que espinhal bravio!
Cheguei! — Mas por que bosque horroroso e medonho!
Agora posso rir... agora enfim já rio!...
Vou depor aos teus pés, mulher, meu belo sonho!...

E aos pés vou pôr-lhe o sonho; e em vão beijá-los tento;
— Impossível — diz ela: e o sonho cai e eu grito:
Vendo-o ir monte abaixo, e num rolar violento!...
Ó Sísifo, ó Sísifo, és meu irmão, maldito...

Rolas a rocha tu, Sísifo miserando,
Por séculos sem fim, por toda a eternidade:
E eu rolo o sonho meu... rolo... rolo... e até quando?
Quem me há-de alevantar a maldição? Quem há-de?

Como estás longe e bela, estrela radiante,
Mulher gentil que aos sóis e aos anjos sobreponho:
Caio: mas torno a ver-te, e sinto-me um gigante!
Meu eterno trabalho é carregar meu sonho...

A SOMBRA DE SUA MÃO

Saí de sua alcova a passo lento e morno,
    Onde a deixei velando
A irmãzinha doente: olhei depois em torno,
    O dia ia baixando:

O corredor escuso em meia sombra estava,
    No fim descia a escada:
Na minha mão direita a mão dela eu levava
    Ligeira e delicada;

A sombra da mão dela, a sombra fugitiva,
    Porque eu sentia ainda
Roçar-me a sua mão quente, trêmula, viva,
    A sua mão tão linda,

A sua mão tão branca, a sua mão macia,
    Suave e setinosa,
Com unhas cor-de-aurora e luz do meio-dia
    Nas hastes cor de rosa.

Quando só me senti, levei à boca ardente
    A minha mão gelada,
E aí de sua mão beijei profundamente
    A sombra perfumada...

QUESTÕES

É noite. Os astros pelos céus profundos
Parecem doudas bocas a cantar;
E as vagas murmuravam docemente,
E ia por longe em frêmitos o mar...
E veio à praia o poeta, a fronte ardente,
Queixosa a voz e merencório o olhar,
E perguntou entre raivoso e triste,
E perguntou ao mar: — Tudo isto existe?
Mas por que existe? Diz', responde, ó mar?

Donde vim? Eu quem sou?... E desde quando
O homem se mostrou? Por que assim ando?
Para onde vou? E pelo azul além
Quem mora? — Quem por cima das estrelas
Paira e se esconde e à terra enfim não vem?
O enigma desta vida, o doloroso,
O velho, o grande enigma, sim, que tem
Que tantas frontes endoidece e queima,
Que para o haver a gente corre e teima:
E o não acha ninguém, ninguém, ninguém?

Os séculos pela boca dos profetas,
Pela ciência um dia o hão-de encontrar?
Esta velha questão, que é sempre nova,
Vós me ides, vagas, já e já contar...
E o céu cintila e as ondas murmurejam:
Como quem diz: — o pobre louco... vejam...
Sibila o vento, que faz rir o ar.
As estrelas parecem soletrar
Uma palavra vaga eternamente.
Tudo parece ao poeta inconsciente,
Frio, insensível, fórmula indiferente...
E o mar, que se levanta furioso,
Que um segredo talvez lhe vai contar,
Ruge, rebrama, cai, volta ao repoiso...
E o poeta espera que responda o mar!!...

ATLANTE ESMAGADO

Um dia ouvi... (abismo eterno, onde caído
Um século jazi, depois de ter ouvido
Essa música doce, etérea, inebriante...)
Nos meus cabelos o teu lábio palpitante,
Como as asas de uma ave a tiritar medrosa,
Depor um beijo... ouvi!...Tua boca cor-de-rosa,
Ninho de colibri, ninho do teu sorriso,
Que tem mais esplendor que a ave do paraíso,
Tua boca, mulher, pousou nos meus cabelos.
Um céu!... Era demais! Dobrei os meus joelhos,
Vacilei ao luzir dessas constelações,
Que me vinham buscar em loucos turbilhões!
E eu tinha ao mesmo tempo o severo semblante
De Anteu, que vai cair, ou de esmagado Atlante.
Em torno a mim havia as serpes. Laocoonte.
Era Tifeu descendo o céu, e monte e monte
Despenhados sobre ele, após o infando crime:
Sentia a inermidade incógnita, que oprime;
De um excesso de luz 'stava a fronte ferida;
Era um deslumbramento imenso a minha vida.
Rolava por caíres de abismos sem escolhos,
Com abismos nos pés, escuridões nos olhos:
Esmagava-me o céu descido do seu beijo;
Nunca até ele houvera ensaiado um desejo,
Quando vi de repente aquela chuva toda
De astros, que vinham nele a iluminar-me em roda...
E foi ele tão leve, e trêmulo, e queixoso,
(Que infinito há num beijo, ai! num beijo e seu gozo!)
Como o doce ranger das estreladas portas
Na noite silenciosa, em fundas horas mortas,

Quando pela calada a alma absorta cisma,
E olhando o azul ao suave e diáfano prisma
De um sonho alado crê, que um anjo, que resume
Todo o amor, que há no céu, todo o esplendor d'aurora,
Vem ver-nos, estendendo a áurea fronte de fora,
Fugindo após, lanceado o coração de ciúme...

AS TRÊS IRMÃS

C' erano tre zitelle,
E tutti tre d' amore

(Canto popular da Itália)

I

A mais moça das três, a mais ardente e viva,
    Aquela que mais brilha,
Quando, sorrindo, aos seus encantos nos cativa,
    Eu amo como filha.

A segunda, que tem da pálida açucena
    Aberta, de manhã,
A cor, o cheiro, a forma, a languidez serena,
    Eu amo como irmã.

A outra é a mulher, que me enleia, e fascina,
    É a mulher que eu chamo.
Entre todas gentil; é a mulher divina,
    É a mulher que eu amo.

II

A mais moça das três é linda borboleta;
    Entra, abre as asas, sai:
Não compreende bem, não nega, nem rejeita
    O meu amor de pai.

A segunda é a flor de essência melindrosa
    De rara perfeição;
Não sei se ela desdenha, ou se ela entende, e goza
    O meu amor de irmão.

A terceira é a mulher: anjo, monstro, hidra, esfinge,
  Encanto, sedução;
Amo-a; não a conheço: é verdadeira, ou finge?
  Não a conheço, não.

III

Se a primeira casasse, oh! que alegria a minha!
  Eu lhe diria: Vai!
Veria nela um anjo, um astro, uma rainha
  O meu amor de pai.

Se a segunda casasse, eu mesmo iria à igreja,
  Levá-la pela mão:
Dir-lhe-ia: o céu azul virar-te aos pés deseja
  O meu amor de irmão.

Se a terceira casasse, oh! minha inf'licidade!
  A mais velha das três,
No horror da escuridão, fora uma eternidade
  A minha viuvez.

IV

Se a primeira morresse, oh! como eu choraria
  A minha desventura!
Com lágrimas de dor lavara, noite e dia,
  A sua sepultura.

Se a segunda morresse, oh! transe amargurado!
  Eu choraria tanto.
Que ela iria boiando, em seu caixão doirado,
  Nas águas do meu pranto.

Se a terceira morresse, em seu caixão deitada,
  Sem que eu chorasse, iria,
Porque noutro caixão, ó minha morta amada,
  Alguém te seguiria...

A FILHA D'ÁFRICA

....

VII

Africana escravizada,
Sátira viva arrojada
A um povo infame e traidor!
Esta nação é tirana!
Maldiz, mulher africana;
Tu não és da raça humana,
Ou é vil o teu senhor!

Deus te guarde na lembrança!
Como a sombra da vingança,
Sobre ela pousas fatal!
Deus por vezes do infinito
O seu olhar tem já fito
No seu trono de granito,
Na sua c'roa imperial!

Não vês aí ao comprido
Languidamente estendido
Na imensa praia do mar,
Quem do Amazonas ao Prata
O corpo imenso desata,
Do verde berço da mata
Querendo se levantar?

Ei-lo! lá ergue-se agora!
Raia p'ra ti nova aurora,
Tens tua c'roa de Rei!
Lança bem longe as tuas vistas:
— Conquistas sobre conquistas! —
Dos teus troféus não desistas:
És grande agora: bem sei

Muito o teu olhar descobre!...
Pois vê se és grande, se és nobre;
Profunda-o em teu coração!
Dê-te Deus uma centelha
De luz, e vê que semelha
Ter nas garras uma ovelha
Com direitos de leão?!!...

Vai, pois, nação altaneira,
Aos olhos baixa a viseira,
O azorrague na mão!
Da história os livros manchados,
Dos ferros enferrujados,
Enfeiam já dois reinados
Com as nódoas da escravidão!

Vai, ridículo gigante,
Grande e belo como Atlante,
Cheio de brilho e altivez:
Enverga a nobre armadura,
Louros em tudo procura,
Enquanto aos teus pés sussurra
A raça vil, que não vês...

Mas que te cospe na cara!...
Mas... que essa glória manchara,
Qualquer que pudesses ter,
Que salpicara teu manto
Com seus gritos, com seu pranto,
E depois — se podes tanto —
Ri aos louros, sem tremer!

Vexame!! triste memorial!!
E essa página da história,
Que se não possa arrancar!!
Não há de novo escrevê-la:
Não há torná-la mais bela,
Embora por cima dela
Cem vezes rolasse o mar!

Ai! se n'alva, que desponta,
Vingassem eles a afronta!!?
Que diríamos depois?
Quando, com o mesmo direito,
— Os joelhos sobre o peito
Então tivessem sujeito
O povo — rei, seu algoz?

Quando lançando à fornalha
Para as armas da batalha
O ferro dos seus gilhões...
O povo bárbaro e rudo
Se erguesse... tu, povo mudo,
Que dirias a isso tudo,
Respondendo aos seus canhões?...

Então, morno e sucumbido,
Ai! só terias sabido,
O que eras tu, servidão;
Vendo com triste ansiedade
O passar da tempestade,
Que rojava a liberdade
Para as garras do leão! —

VIII

O Brasil, nobre atleta do futuro,
Sobre a armadura ressonando dorme:
Suas cidades são apenas ecos
Das pulsações de um coração enorme!

Ouviu... quem sabe? o rebater pesado
Do camartelo rudo em ferro horrendo,
Com que o sec'lo apunhala o seio às brenhas
E abre rasgões por onde vai correndo.

Aos sons — talvez — desse estrondar acorda!
Rei, soberbo e indolente, a espreguiçar-se
Na verde cama de vergéis floridos,
Boceja e sonha e ri, sem levantar-se!

O almafre de florestas gigantescas
Balança-lhe no elmo das montanhas!
Enquanto dorme, povos e tributos
Roja-lhe o mar das túmidas entranhas!

Sobe o gênio do século os seus rios,
Toca-os nas margens com as mãos de pedra:
Logo pulula um povo torrentoso,
Uma cidade de repente medra!

Belo o porvir do trono seu de trevas
C'roa-lhe a fronte de esperança e flores
O sol é seu padrinho: a primavera
É sua noiva: é ela os seus amores!

Por que és tão mau, ó filho do Oceano,
Deitado à sombra da floresta antiga?
Quando tudo p'ra ti só tem sorrisos,
A tua mão sem pundonor castiga!

Podes ser grande... hás de ser grande, ó terra!
Mas teus braços — um dia — envergonhados,
Hão de levar do tempo à fronte augusta
Uma c'roa de séculos manchados!

Homem livre e feliz, eu não te canto,
Em que dê pouca luz meu canto inerme:
Não sou um astro que vomita chamas,
Mas não vomito lodo — tal um verme.

Tu, Africana, és infeliz; eu te amo.
Lavar-te os pés com versos meus consente,
Não perde o incenso o odor em tosco jarro,
Nem tem mais cheiro em vasos do Oriente.

IX

Oh! como sobre as asas das estrofes
Sinto minha alma desdobrar-se agora!
Como na areia de uma praia virgem
A vaga bate, e se desdobra e chora!

Os olhos alonguei na funda chaga,
Que a fronte da nação livre ulcerava:
E quando interroguei a boca hedionda,
Ouvi dela sair a voz da escrava.

Roubei meu canto à voz das agonias,
Quis num só feixe atar todas as dores,
E rojá-las à face desse povo,
Em tal banquete as só possíveis flores!...

Tomei nos braços dos grilhões o peso,
E disse: É necessário um camartelo
Grande... batido à forja por ciclopes,
Para os poder quebrar elo por elo!

Mas da cova ao sopé despem-se os ferros,
Deixa-se o cetro, e se abandona a c'roa!
Do pobre ninho ali cavado em terra
Ave brilhante as asas bate e voa.

Como a pomba sacode o pó das penas,
Qual deixa a borboleta a larva impura,
A alma sacode o corpo sobre a terra,
E aos céus adeja em toda a formosura.

(1862)

CANAÃ

Hoje, amanhã, depois, sempre após a esperança
Coluna chamejante em frente ao pobre hebreu:
A cerrada coorte em marcha, e que não cansa,
De quimeras gentis, e a conduzi-las eu...

Preciso de chegar a essa terra fecunda:
É por ela que me ergo à primeira manhã
É por ela que marcho até a noute funda,
Ó Ofir do meu sonho! Ó minha Canaã.

Pobres quimeras, vós buscais seu seio olente:
Pobres sonhos gentis, buscais o seio seu;
Vós ides, podeis ir dormir lá; eu somente
Posso mandar-vos, sem poder ir também eu.

Entre o céu azulado, e os esplendentes lagos
Com colares iguais ao colar da manhã,
Sem nunca poder ter um só dos teus afagos,
Hei-de ver-te sorrir, terra de Canaã.

Como o sol de oiro puro a fronte te engrinalda!
Que selvas! que vergéis, que força em tudo teu!
Só eu hei-de morrer no fogo que me escalda,
Sem nunca mitigá-lo em teu seio!... só seu!

Voltarão para ti formosas primaveras;
E eu 'starei a dormir e fora a vida e o afã...
Ficam-te os sonhos meus e as minhas vãs quimeras,
Mulher, Ofir de amor, e minha Canaã!

***

Tu, que lês descuidado o meu poema morno,
Como quem para um poço a cabeça estendeu,
Vês muita àgua no fundo, e muita sombra em torno.
Um dia terás sede, e morrerás como eu

Morrerás vendo o poço e o oiro vão das quimeras
Lançarás aos milhões lá dentro: — e em louco afã,
Hás-de morrer de sede e vendo a água que esperas,
Como eu morro de amor em frente à Canaã.

POSSE ABSOLUTA

Contigo vivo, durmo, sonho, acordo:
Estou cheio de ti, mulher divina;
Como o mar, quando o sol todo o ilumina,
Tenho-te em mim, — o teu fulgor transbordo.

Estou cheio de ti, como os espaços
Estão cheios de céu de lado a lado:
Como o céu 'stá de sóis sem fim coalhado,
Sóis, que eu lançara ao chão sob os teus passos.

Ou sejas flor lirial, que odora um Éden,
Ou flor, que o tremedal poluto cria,
O que ouço em mim é a creba sinfonia,
Hirta d' acres desejos, que te pedem.

Dou voz aos troncos, amoleço a roça;
E não te há-de prender a ti somente
Um dos deuses da lira onipotente,
Que imortaliza o que ama, e quer, e toca?...

Tenho-te: és minha. — És minha ou viva ou morta.
Viva, sinto-te em mim, não morta ou fria:
Ter-te assim, ter-te assim é que eu queria:
Não me importava o mais, e não me importa.

Ó minha estrela, ó minha rica jóia,
Brilhas inteira dentro de minh'alma,
Como o abismo do céu, no mar em calma,
Por ele abaixo desce e nele bóia.

Talvez que o ouça tímida e inquieta,
Como a canção de um lindo vagabundo,
Mas volte ao quente, ao luminoso mundo,
Da alma estrelada e matinal do poeta.

Botão de rosa, que talvez esconda
Titania ao sol, para o não ver de fora,
Seja o que for, és minha : — amo-te: e agora
Sou a onda que o vento enrola a onda.

Tenho-te: és minha: és minha a qualquer hora
Quando com um jarro de ágata da Helena,
Vermiculado de ouro, a curva plena
Molha a Manhã de luz, que, rindo, chora...

Ou quando a Noite, como egípcia escrava,
Com um turbante, que encima a lua em meio,
Do leite branco, que lhe cai do seio,
Uma zona da esfera imensa lava:

Vou pensando, ao fragor de estranhas brisas,
Se outros mundos terão o que em ti vejo,
E se um riso de Deus vale um teu beijo,
Se algum céu vale o céu do chão que pisas.

Canta o sândalo à rosa, o lírio ao trevo,
Quando o teu doce nome pronuncio,
E anda dele através fulgindo um rio,
Rio d'oiro de estrelas, quando o escrevo.

Quando o escrevo, que música sonora
Sai de cada uma letra que burilo...
E o divino Petrarca, para ouvi-lo,
Põe do céu a cabeça astral de fora.

Porque és minha, palácios te daria,
Tirados de pedreira sonorosa,
Riscados d'oiro em fundo cor-de-rosa,
Feito de grandes blocos de harmonia.

É com jóias de preço que os travejo;
E, como os belos pavilhões chineses,
Hás-de ouvi-lo tinir, todas as vezes
Que às torres chegues num ligeiro adejo.

Tenho a alâmpada brônzea de Aladino
Em cada riso que em teus lábios ouço;
E nesses mundos cheios do alvoroço
Da luz, que vem do teu olhar divino.

É de ti mesma que minha alma arranca
O áureo fio dos orbes que levanto:
'Stás sempre neles, ritmo do meu canto,
Branca deusa, que o lírio inda mais branca.

Vêm do teu corpo uns cálidos perfumes,
Alma quente da sombra de tua alma;
E um nimbo à fronte, e às duas mãos a palma,
Hauro neles a glória ideal dos numes.

Quando te abraço, um sentimento vago
Me faz crer que ando em veigas deliciosas:
Que os lírios cantam, cantam mais as rosas,
Que o pé me oscula e ri a flor que esmago.

Quando te beijo... Ai... ao beijar-te cuido
Que por teus lábios voa o céu a rodo,
Que o bebo e os sóis com ele, e o meu ser todo
Se enche de um deus imenso, imenso e fluido.

És minha: és minha. — Anda minha alma em festa,
Chilreia em mim estranha passarada:
Tu foste a luz infante da alvorada,
Que arranca à noite o poema da floresta.

O andar, o movimento e etéreo arranjo
Dos pés, que sobem, descem sobre duas
Asas sutis, faz crer-me que flutuas
Entre a Odisséia e a Bíblia, a deusa e o anjo.

Mas... guarda os teus alados pés, recolhe-os:
Basta-me só que quem te vir descubra
As pérolas do mar na boca rubra,
As estrelas do céu nos grandes olhos.

E sobre eles se vêem as duas belas
Asas pretas de um pássaro fugindo
Em fora por tua alma em flor, no lindo
Rosto apenas fremendo as pontas delas.

Sobre o teu seio arfando, como as ondas,
No alvo, róseo esplendor das carnes nuas,
De um mar de leite se ergue um par de luas
Novas, brancas, não cheias, não redondas.

Basta de erguer os mármores preclaros,
O pó dos gregos mármores partidos:
Vede: os braços da Milo estão metidos
Nos seus dois braços do mais fino Paros.

Não é preciso ir ver a Itália a Aurora
Presa num bloco branco de Carrara:
Tu mesma és um Miguel-Ângelo, ó rara
Criação, que ilustro amando, e o mundo ignora.

Como o lascivo oceano engole os rios,
Como o divino espaço engole os mundos,
Teus membros sorvo-os, de mim mesmo inundo-os,
E dos meus belos versos irradio-os.

Belos, sim! andas tu lá dentro, basta:
Prendem o ritmo a ti estranhos elos:
No teu silêncio, em tua voz, modelo-os;
Doiro-os do céu, que atrás de ti se arrasta.

Queiras ou não, ou por vontade, ou força,
Agora és minha, eu te possuo és minha;
Como é da concha a pérola marinha,
Como é da selva a fugitiva corça.

Antes que a concha alguém do mar recolha,
E a corça estaque ao golpe que a procura,
Eu guardarei a tua imagem pura,
Como a flor da manhã, em branca folha.

Oh! como és minha! és minha, eu te possuo,
Mau grado meu, mau grado aos teus desejos:
Vê se podes sair do mar de beijos,
Em que contigo agora ando e flutuo.

Eu e tu somos uma só criatura:
Dize que não; enfim, que minto:
Eu te sustento, como à estátua o plinto,
Como o equilíbrio o vôo aos sóis segura.

Nega. — Que importa? Ó minha imagem cara,
Bebo-te o aroma, e a divinal essência,
Quem te pode arrancar desta existência,
Onde cravei-te como jóia rara?...

Nem Deus. – Pode num ímpeto de irado
Dos olhos arrancar-te o céu, e os astros;
Ambos nós dois há-de levar de rastros
Do moto eterno ao vórtice agarrado:

Toma-a. — Eu te porei aos pés o grito
Deste universo, que te assoma e invade,
Levando o peso da imortalidade,
Como tu o cansaço do infinito.

Não te darei sossego: há sempre audazes
Que o abismo tenta, imaginando um crime;
Sobre montões de sóis o espaço oprime:
É da opressão que Prometeus tu fazes...

Ó correta beleza, aos céus eu deixo
O Deus, que pôs nos sóis mortal cadeia:
Este mundo é nosso; aperta, enleia
Minha alma toda, como a hera o freixo

Alma e corpo à minha alma e corpo enlaço-os:
És minha: ao céu num vôo branco, ó pomba,
Sobe : assim, sobe o sol, que de lá tomba
No mar: nos dois oceanos dos meus braços

Cairás: e hão-de envolver-te o virgem solo
Flora nova e outros sóis pelo horizonte;
E acordarás, sentindo a nívea fronte
Deitada entre eles, calma, e no meu colo;

Abrindo largamente os olhos pretos,
Um pouco à escuridão dos grandes cílios,
Ouvindo o mar cantar os seus idílios,
Vendo o sol a acender-se em meus sonetos;

E o barulho dos rios e o barulho
Das florestas, que tu, olhando, douras,
Soar-me-á, como as palmas triunfadoras,
Que, por ti só, me hão-de ebriar de orgulho...

A FLOR DO VALE

Adeus, ó linda flor, em que tão pálida:
Eu vou partir: mas tu fica-te embora:
Caia o orvalho do céu, como os meus prantos,
Sobre o teu seio que languesce agora.

Pouse em teu cálix, transmudado em riso,
Cada raio que a aurora desentrança;
Cada avezinha, que do céu te venha,
Do céu traga-te um canto de esperança.

Cada sol te renove um doce encanto;
Mas que não venha o vento lisonjeiro
Na asa, que arrasta noites delirantes,
Dormir contigo ao mesmo travesseiro.

Quero-te tanto assim, pálida virgem,
Nesse vago cismar, no olhar tão triste,
Que parece que a morte inda agorinha,
A dois passos de ti brincando viste.

Amo-te tanto assim... Oh!... muito!... És bela,
Como o tímido olhar de uma criança:
Tu vacilas fantástica em meus sonhos,
Como a mórbida luz de uma esperança.

Ó nunca, meu amor, à borboleta,
Abrindo as asas matizadas d'oiro,
Abras o seio de cetim tão branco,
Teu bem melhor, meu único tesoiro.

Eu quero à tarde, no cair das sombras,
A fronte reclinar em teus joelhos;
E como fala nos sons d'harpa um anjo,
Um anjo ouvir nos teus conselhos.

Ó meu amor, só tens as asas brancas,
Só tens o facho, etérea formosura:
É quanto quero: as asas p'ra minha alma,
E o facho para minha noite escura.

Oxalá que na treva em que me escondo
Esta linda miragem me não minta;
E que inda possa te cerrar nos braços,
Tão pura como o canto meu te pinta.

Cedo volto, alva flor, e se no vale
Inda encontrar-te perfumosa e linda,
Quero sob o teu hálito oloroso
Moles noites de amor dormir ainda;

E saber que é por ti que aspiro e vivo,
E no fogo em que esta alma se evapora,
Dormir contigo como um monte acorda
No seio em brasa de uma linda aurora.

Vênus boiando nas espumas d'oiro,
Que oceanos de luz nos montes deixa,
Vacila, como lágrima na pálpebra,
Após o desabafo de uma queixa.

Olha: ei-la que vem trêmula e envolta
De raios d'oiro lânguidos, serenos:
É a estrela do amor. — Olhando-a à tarde,
Não te esqueças de mim... nessa hora ao menos.

Flor, como uma harpa em vibração tremendo,
Eu bem cedo, outra vez, serei contigo,
Na frente a chama, no meu lábio o hino,
E no meu peito o meu amor antigo...

(1857)

ANGÚSTIA DO INFINITO

XI

Este clamor não te parece um grito
    De Titão esmagado?
Sinto em mim todo o peso do infinito,
    A que estou condenado.

Tenho na fronte de gilvazes cheia,
    A cicatriz do orgulho:
E lanço ao céu a indômita cadeia
    Com todo o seu barulho.

Deuses, dai-ma, ou roubai-me o céu aos olhos:
    Deitar-me à cara, à fronte,
Os astros, como escolhos sobre escolhos,
    Ou monte sobre monte:

Que eu sinta a voz terrível do universo,
    E os astros deslocados,
Tudo em cima de mim; só eu submerso;
    Mas de punhos cerrados:

Que eu matara o universo e vos metera
    Em prisão nos espaços,
Só para tê-la um'hora, um' hora inteira,
    Uma hora entre meus braços.

Mas... melhor fora a esfera sossegada,
    E eu amoroso e mudo
Rindo aos seus pés; e o dedo seu de fada
    Segurando isso tudo!...

XII

É depois que ele deixa o firmamento,
    Que à terra, enfim, se lança,
Depois, depois do último tormento,
    Da última esperança,

Olha, o grito maior do pelicano
    (E que isto te console)
Grito igual ao que sai de um peito humano!...
    Não é o dar-se à prole,

Lacerar com seu bico a própria entranha,
    Ver que o sol escorrega
Dos seus olhos, e rola, e cai, e o banha
    De uma poeira que o cega:

'Star vendo o sangue, que borbota, e corre,
    Que engolem com ruído...
É por morrer uma vez só, que morre,
    Dando aquele mugido!...

Por não poder mil vezes pela prole
    — Morrer, — com esse grito,
Enquanto ela se farta, e o sorve, e engole,
    Apedreja o infinito.

XIII

Essa loucura de te amar, acaso
    Posso conter? Pois ousa:
Faz'que o sol pare ao oriente, a lua ao ocaso:
    Vê: tenta qualquer cousa.

O epitalâmio, que o argueiro canta,
    Trepado noutro argueiro;
A luxúria da terra, o amor da planta,
    Acaba isso primeiro;

Suspende as maldições do mar perverso;
Contém o torvelinho;
Anula o berço, despedaça o ninho
Fu...u...u...u!... apaga o universo...

Uma cegueira!... um turbilhão de pólen
Enchendo o céu e a terra:
E o amor!... e o amor!... — E ao pé do amor a guerra,
E os sóis, que se entrengolem!...

Faz as covas a morte: a desfazê-las
Desde o amor, e renova,
Com toda podridão, que achou na cova,
O clarão das estrelas...

A eterna história, a eterna queixa, o grito
Que sai dos lábios fora!...
É o amor que nos ceva e nos devora,
A angústia do infinito!...

BIOBIBLIOGRAFIA

Luís Delfino dos Santos *nasceu a 25 de agosto de 1834, na cidade de Desterro, hoje Florianópolis. Iniciou seus estudos no colégio dos jesuítas. Aos dezesseis anos, transferiu-se para o Rio de Janeiro, onde concluiu o curso de Humanidades e ingressou na Faculdade de Medicina, na qual se graduou em 1857, sendo o orador da turma. Iniciou logo brilhante carreira de clínico, que lhe proporcionou invejável prestígio profissional e vultosa riqueza. Viveu rodeado de conforto. Portava-se com cavalheirismo. Era bondoso e conciliador de temperamento. Espírito culto e aristocrático, desenvolveu requintado estilo de vida, mas conservou-se avesso ao fervilhante convívio das rodas boêmias, preferindo receber os intelectuais em sua casa. Registra-se uma passagem sua pela vida política, eleito Senador por Santa Catarina, em 1891, para a Constituinte Republicana. Em política, era defensor de idéias liberais, prezando até fanaticamente a liberdade. Integrou o movimento abolicionista, tendo vários poemas dedicados à valorização do escravo como pessoa humana.*

Desde jovem escreveu poemas. Versejava com extrema facilidade. Parece nunca ter-se preocupado com a revisão e o burilamento dos versos já compostos, entregando-se à exuberância de sua imaginação, pelo que o poder descritivo e a opulência verbal nele sempre sobrepujaram o lavor artesanal. Avesso à letra de forma, escrevia sem preocupação de editar seus poemas. Não tendo publicado qualquer livro, sua vasta produção, inédita ou dispersa em jornais e revistas, não atraiu crítico ou historiador da literatura, para dela ocupar-se com profundidade, por ser inacessível obter uma visão de conjunto da mesma, o que acarretou sensível e irreparável prejuízo ao seu enquadramento no panorama poético nacional. Por isso, não obstante o prestígio e a popularidade do poeta, considerado "príncipe dos poetas brasileiros", não obstante Osório Duque Estrada o ter considerado "um dos maiores, se não o maior dos poetas que tem produzido o Brasil", não obstante Gilberto Amado ver nele "o maior dos nossos líricos", Luís Delfino permaneceu à margem das nossas Histórias da Literatura Brasileira. Faleceu o poeta no Rio de Janeiro, a 31 de janeiro de 1910.

Iniciando sua produção poética em pleno auge do Romantismo, prosseguindo-a como mestre do verso à época da boêmia literária do Parnasianismo, e sendo amigo e conterrâneo de Cruz e Sousa, iniciador e voz máxima do Simbolismo, Luís Delfino incorporou traços desses vários códigos estéticos, mas sem prender-se a nenhuma escola literária definida. Transitou de uma a outra, em toda a sua carreira poética, versejando sobretudo segundo os cânones parnasianos e românticos. Sílvio Romero destaca sobretudo seu período "parnasiano", a partir de 1879, quando o poeta "começou de atirar sobre o público as jóias de seu escrínio, e raro há sido o dia que não tenhamos admirado as suas notáveis qualidades de lirista nos dous decênios do século expirante".

Anos após a morte do poeta, seu filho, Tomaz Delfino dos Santos, empreendeu a tarefa de reunir e publicar a maior parte do espólio poético do pai, editando 14 volumes:

Algas e Musgos. Rio, Tip. Pimenta de Melo, s.d., 258 p.
Poemas. Rio. Tip. do Jornal do Commercio, 1928, 141 p.
Poesias Líricas. S.Paulo, Cia.Editora Nacional, s.d. (1934), 212p.
Íntimas e Aspásias. Rio, Irmãos Pongetti, 1935, 211 p.
A Angústia do Infinito. Rio, Irmãos Pongetti, 1936, 176 p.
Atlante Esmagado, Rio, Irmãos Pongetti, 1937, 216 p.
Rosas Negras. Rio, Irmãos Pongetti, 1938, 239 p.
Esboço de uma Epopéia Americana. Rio, Irmãos Pongetti, 1939, 212 p.
Arcos do Triunfo. Rio, Irmãos Pongetti, 1940, 168 p.
Posse Absoluta. Rio, Gráfica Guarany, 1941, 128 p.
Cristo e a Adúltera. Rio, Irmãos Pongetti, 1941, 166 p.
Imortalidades *(Livro de Helena) I*. Rio, Irmãos Pongetti, 1941, 269 p.
Imortalidades *(Livro de Helena) II*. Rio, Irmãos Pongetti, 1942, 257 p.
Imortalidades *(Livro de Helena—A Lenda do Éden) III*. Rio, Irmãos Pongetti, 1942, 133 p.
Poemas Escolhidos *(org. Nereu Corrêa)*. Florianópolis, FCC Edições, 1982, 166 p.

ÍNDICE

Prefácio por Lauro Junkes 7

De IMORTALIDADES I:
À Helena 21
O céu é um crime 22
O amor 27
O monstro 24
O amor e a fraternidade 25
Medo 26
A deusa 27
Monstro 28
O testamento 29
Cheiro preferido 30
Leito de noivos 31
Crer e não crer 32
O destino 33
A preta da cabana 34
O impossível 35
Problema sempre novo 36
Entre parênteses 37
Helena 38
Deus pela mulher 39

De IMORTALIDADES II:
Que sabemos? 40
Deusa única 41
O Deus interior 42
O céu 43
Escuridão 44
A cousa espantosa 45

Crença e dúvida 46
A imortalidade de Helena 47

De IMORTALIDADES III:
A lenda do Éden 48
Esquecimento 49
A serpe só com Eva 50
O amor de Deus 51
O fruto 52
A saída do Éden 53
Não 54
Depois do Éden 55

De ALGAS E MUSGOS:
Vênus marinha 56
Nudaque vera 57
A valsa 58
No leito 59
Cadáver de virgem 60
Ódio estéril 61
Nuda puella 62
Sunt animae rerum 63
Tela apagada 64
Num carro de bois 65
Ovídio 66
Gaivotas 67
A sultana 68
A Luís de Camões 69
A cega 70

De ROSAS NEGRAS:
O mal 71
Deus 72
À hora do almoço 73
A saída 74
Entrada na floresta 75
Ubi natus sum 76
Queixa 77
A cova 78
Tal está morta... 79

Febre 80
Abismos que se interrogam 81
A loba 82
Cio 83
Jesus ao colo de Madalena 84

De ARCOS DO TRIUNFO:
A grande sombra 85

De ÍNTIMAS E ASPÁSIAS:
O colo 86
A perna 87
Caverna rubra 88
Depois do banho 89
Laetitia 90
In her book 91
Only 92
Credo 93
"O lago" 94
Um duelo de morte 95
Duas numa 96
Miséria por miséria 97
O belo feminino 98
Capricho de deusa 99

De CRISTO E A ADÚLTERA:
Eras do amor 100

De ESBOÇO DE UMA EPOPÉIA AMERICANA:
Tântalo 101
Prometeu 103
Sísifo 107

De ATLANTE ESMAGADO:
A sombra de sua mão 110
Questões 111
Atlante esmagado 113

De POEMAS:
As três irmãs 115

COLEÇÃO OS MELHORES POEMAS

CASTRO ALVES
Seleção e prefácio de Lêdo Ivo

LÊDO IVO
Seleção e prefácio de Sergio Alves Peixoto

FERREIRA GULLAR
Seleção e prefácio de Alfredo Bosi

MARIO QUINTANA
Seleção e prefácio de Fausto Cunha

CARLOS PENA FILHO
Seleção e prefácio de Edilberto Coutinho

TOMÁS ANTÔNIO GONZAGA
Seleção e prefácio de Alexandre Eulalio

MANUEL BANDEIRA
Seleção e prefácio de Francisco de Assis Barbosa

CECÍLIA MEIRELES
Seleção e prefácio de Maria Fernanda

CARLOS NEJAR
Seleção e prefácio de Léo Gilson Ribeiro

LUÍS DE CAMÕES
Seleção e prefácio de Leodegário A. de Azevedo Filho

GREGÓRIO DE MATOS
Seleção e prefácio de Darcy Damasceno

ÁLVARES DE AZEVEDO
Seleção e prefácio de Antonio Candido

MÁRIO FAUSTINO
Seleção e prefácio de Benedito Nunes

ALPHONSUS DE GUIMARAENS
Seleção e prefácio de Alphonsus de Guimaraens Filho

OLAVO BILAC
Seleção e prefácio de Marisa Lajolo

JOÃO CABRAL DE MELO NETO
Seleção e prefácio de Antonio Carlos Secchin

FERNANDO PESSOA
Seleção e prefácio de Teresa Rita Lopes

AUGUSTO DOS ANJOS
Seleção e prefácio de José Paulo Paes

BOCAGE
Seleção e prefácio de Cleonice Berardinelli

MÁRIO DE ANDRADE
Seleção e prefácio de Gilda de Mello e Souza

PAULO MENDES CAMPOS
Seleção e prefácio de Guilhermino César

LUÍS DELFINO
Seleção e prefácio de Lauro Junkes

GONÇALVES DIAS
Seleção e prefácio de José Carlos Garbuglio

AFFONSO ROMANO DE SANT'ANNA
Seleção e prefácio de Donaldo Schüler

HAROLDO DE CAMPOS
Seleção e prefácio de Inês Oseki-Dépré

GILBERTO MENDONÇA TELES
Seleção e prefácio de Luiz Busatto

GUILHERME DE ALMEIDA
Seleção e prefácio de Carlos Vogt

JORGE DE LIMA
Seleção e prefácio de Gilberto Mendonça Teles

CASIMIRO DE ABREU
Seleção e prefácio de Rubem Braga

MURILO MENDES
Seleção e prefácio de Luciana Stegagno Picchio

PAULO LEMINSKI
Seleção e prefácio de Fred Góes e Álvaro Marins

RAIMUNDO CORREIA
Seleção e prefácio de Telenia Hill

RAUL DE LEONI*
Seleção e prefácio de Pedro Lyra

JOSÉ PAULO PAES*
Seleção e prefácio de Davi Arrigucci Jr.

DANTE MILANO*
Seleção e prefácio de Ivan Junqueira

MACHADO DE ASSIS*
Seleção e prefácio de Jean-Michel Massa

CLÁUDIO MANUEL DA COSTA*
Seleção e prefácio de Francisco Iglésias

CRUZ E SOUSA*
Seleção e prefácio de Flávio Aguiar

PRELO*

COLEÇÃO OS MELHORES CONTOS

ANÍBAL MACHADO
Seleção e prefácio de Antonio Dimas

LYGIA FAGUNDES TELLES
Seleção e prefácio de Eduardo Portella

BRENO ACCIOLY
Seleção e prefácio de Ricardo Ramos

MARQUES REBELO
Seleção e prefácio de Ary Quintella

MOACYR SCLIAR
Seleção e prefácio de Regina Zilberman

MACHADO DE ASSIS
Seleção e prefácio de Domício Proença Filho

HERBERTO SALES
Seleção e prefácio de Judith Grossmann

RUBEM BRAGA
Seleção e prefácio de Davi Arrigucci Jr.

LIMA BARRETO
Seleção e prefácio de Francisco de Assis Barbosa

JOÃO ANTÔNIO
Seleção e prefácio de Antônio Hohlfeldt

EÇA DE QUEIRÓS
Seleção e prefácio de Herberto Sales

MÁRIO DE ANDRADE
Seleção e prefácio de Telê Ancona Lopes

LUIZ VILELA
Seleção e prefácio de Wilson Martins

J. J. VEIGA
Seleção e prefácio de J. Aderaldo Castello

JOÃO DO RIO
Seleção e prefácio de Helena Parente Cunha

JOEL SILVEIRA*
Seleção e prefácio de Lêdo Ivo

IGNÁCIO DE LOYOLA BRANDÃO
Seleção e prefácio de Deonísio da Silva

HERMILO BORBA FILHO
Seleção e prefácio de Silvio Roberto de Oliveira

LÊDO IVO
Seleção e prefácio de Afrânio Coutinho

BERNARDO ÉLIS
Seleção e prefácio de Gilberto Mendonça Teles

CLARICE LISPECTOR
Seleção e prefácio de Walnice Nogueira Galvão

WANDER PIROLI
Seleção e prefácio de Valdomiro Santana

AUTRAN DOURADO
Seleção e prefácio de João Luiz Lafetá

RIBEIRO COUTO*
Seleção e prefácio de Alberto Venancio Filho

RICARDO RAMOS*
Seleção e prefácio de Bella Josef

SIMÕES LOPES NETO*
Seleção e prefácio de Dionísio Toledo

PRELO*

PAULUS Gráfica, 1998
Via Raposo Tavares, km 18,5
05576-200 São Paulo, SP